Litera

ÜBER DAS BUCH:

Die Ballade ist tot, es lebe die Ballade! An die Stelle der zu Tode gerittenen Form tritt springlebendig das Erzählgedicht. Brecht, Initiator des epischen Theaters, ist auch als Erneuerer der epischen, das heißt erzählenden Lyrik vorangegangen. Neben ihm und nach ihm findet man auf diesem Feld fast alle Autoren vertreten, die unserer Lyrik seit 1918 ihr Gesicht gegeben haben. Heinz Piontek, Herausgeber dieser 1964 erstmals erschienenen Anthologie, hat die Verwandlung der alten Ballade in das moderne Erzählgedicht konstatiert und mit Recht von einer »Wiedergeburt der Poesie aus dem Geist der Prosa« gesprochen. Heute dominiert das Erzählen im Gedicht – ob wir nun an Huchels letzte Lyrik denken oder an Enzensbergers *Mausoleum* und den *Untergang der Titanic* oder an Handkes lange Poeme. Pionteks Anthologie hat eine entscheidende Phase der Entwicklung unserer zeitgenössischen Lyrik festgehalten.
»Ein hochinteressantes Unternehmen. Den Bemühungen des Herausgebers liegt eine Entdeckung zugrunde, die so einfach ist wie das famose Ei des Kolumbus.« (Süddeutsche Zeitung)

DER AUTOR:

Heinz Piontek wurde 1925 in Kreuzburg, Oberschlesien, geboren. Von der Schulbank weg mußte er noch für zwei Jahre als Soldat in den Zweiten Weltkrieg, kam dann für kurze Zeit in Kriegsgefangenschaft. Das danach aufgenommene Universitätsstudium mußte er 1948 aus Geldmangel abbrechen. Seitdem lebt Piontek von seiner schriftstellerischen Arbeit.
Nach der Aussiedlung aus Schlesien verbrachte er mehr als ein Jahrzehnt in zwei kleinen Städten an der Donau, dann ein halbes Jahr in Rom als Stipendiat der Villa Massimo, seit 1961 lebt er in München. Für sein vielfältiges schriftstellerisches Werk, das dreißig Bücher – Prosa und Gedichte – umfaßt, wurden Heinz Piontek zahlreiche Preise, zuletzt der Georg-Büchner-Preis, verliehen.

Als Ullstein Buch erschienen:
Träumen, Wachen, Widerstehen (26030)
Juttas Neffe (26047)
Das Handwerk des Lesens (26062).

Neue deutsche Erzählgedichte

Gesammelt von Heinz Piontek

Literatur heute

Literatur heute
Ullstein Buch Nr. 26088
im Verlag Ullstein GmbH,
Frankfurt/M – Berlin – Wien

Ungekürzte Ausgabe

Umschlagentwurf:
Zembsch' Werkstatt, München

Printed in Germany 1983
Gesamtherstellung:
Elsnerdruck GmbH, Berlin
ISBN 3 548 26088 8

Juni 1983

CIP-Kurztitelaufnahme
der Deutschen Bibliothek

Neue deutsche Erzählgedichte/Piontek.
– Ungekürzte Ausg. – Frankfurt/M; Berlin;
Wien: Ullstein, 1983.
(Ullstein-Buch; Nr. 26088: Literatur
heute) ISBN 3-548-26088-8

NE: Piontek, Heinz (Hrsg.); GT

VORWORT

Die moderne Lyrik gilt weithin als Lyrik für Lyriker. Sie sei zugeknöpft, dunkel, narzißtisch, heißt es, eine Sache, die selbst Gutwillige immer wieder vor den Kopf stoße. Ich möchte das keineswegs bestreiten. Es ist die eine Seite. Wie die andere ausschaut, deutet die Sammlung deutscher Gedichte an, die ich vorlege. Doch ich habe meine Anthologie nicht zusammengestellt, um zu zeigen, daß auch heutzutage offene, durchscheinend helle, für den Menschen und seine Sache leidenschaftlich parteinehmende Gedichte geschrieben werden. Das ergab sich nebenbei. Am Anfang meiner Arbeit stand der Wunsch, anhand einer Fülle von Material nachzuweisen, daß ein literarischer Totenschein irrtümlich ausgestellt worden ist. Ich dachte an die totgesagte Ballade. Diese lyrische Form soll ja bei uns seit Jahrzehnten angeblich nicht mehr existieren. Dabei ist sie munter wie eh und je am Leben. Wir werden es sehen.

Hier soll also von der deutschen Kunstballade die Rede sein. Ihr Alter wird auf etwa zweihundert Jahre geschätzt, ihre Herkunft aus dem Englischen abgeleitet. Mindestens ebenso wichtig aber wie die alten oder bloß altertümelnden nordischen Vorbilder war für sie unsere einheimische Volkspoesie, die man seit Herders genialer Schatzgräberei überall entdeckte. Mithin reichen die Wurzeln der neueren Ballade hinunter bis zu Lied und Epos, Märchen und Zauberspruch. Ihr Höhepunkt fiel mit dem unserer Dichtung überhaupt zusammen. Was auf die klassischen Beispiele folgte, war nicht Neuansatz, sondern Verästelung, Modifizierung, Feinarbeit. Noch Mörike, an den hier zu denken wäre, schuf herrliche Stücke. Doch schon bei Fontane – für unsere Großeltern der Balladendichter par excellence – machten sich da und dort Mängel bemerkbar. Spätestens seit der Neuromantik schien die Form zu verholzen. Was endlich die Parteibarden Hitlers vorbrach-

ten, konnte nicht mehr ernst genommen werden. Kein Wunder, daß man die Ballade für tot erklärte.
Daß ein solcher Eindruck entstehen konnte, hat aber noch einen weiteren Grund. Ich meine die Definition der Ballade. Sie wurde mit der Zeit immer doktrinärer und phantasieloser vorgenommen. Ließ man in der Ära Goethes noch eine Vielzahl von Sujets gelten, so zog man später die Grenzen enger und enger. Schließlich wurde als „reine" Ballade kaum mehr als die aufgepulverte Geschichtsanekdote anerkannt. Wie die Historienschinken in der Malerei wurden in der Balladendichtung die Räuber- und Ritterstücke für höchste Kunst erklärt. So mußte es kommen, daß man mit dem faschistischen Ruin dieses Genres die Balladendichtung insgesamt für erledigt hielt. Theoretiker und Leser waren sich darin einig.
Die Ballade zu definieren, ist schwierig. Von Anfang an scheint sie eine Mischform gewesen zu sein. Bereits bei Goethe heißt es über den Balladendichter: „Er kann lyrisch, episch, dramatisch beginnen und, nach Belieben die Formen wechselnd, fortfahren, zum Ende hineilen, ohne es weit hinauszuschieben." Von der Ballade selbst behauptet er gar: „Übrigens ließe sich an einer Auswahl solcher Gedichte die ganze Poetik gar wohl vortragen, weil hier die Elemente noch nicht getrennt, sondern wie in einem lebendigen Ur-Ei zusammen sind, das nur bebrütet werden darf, um als herrliches Phänomen auf Goldflügeln in die Lüfte zu steigen."
Eins ist klar: die Ballade ist ein erzählendes Gedicht. Vom rein Lyrischen hat sie das Liedhafte, den Reim und Refrain; vom Drama das zugespitzt Szenische, den Dialog, das Tempo, die starken Auftritte der Figuren, die Schicksalsmomente; vom Epischen das speziell Novellistische, also die konzentrierte Fabel, das Absonderliche und Geheimnisvolle, das in einer „unerhörten" Pointe gipfelt, die Gradlinigkeit des Vortrags, kurzum: den Erzählton. Von anderen Gedichtarten epischen Charakters – der Idylle zum Beispiel oder dem Landschaftsgedicht – läßt sich die Ballade gut unterscheiden, aber von der Romanze? Früher sind bei uns Ballade und Romanze häufig für ein und dasselbe gehalten worden; im romanischen Sprachbereich, aus dem wir das Wort Romanze

entlehnten, kennt man bloß diesen einen Begriff. Man sieht, die Dinge haben ihre Tücken. Doch vom Inhalt her – seinem Gewicht, seiner Farbe – dürften sich die Unterschiede nicht allzu schwer herausarbeiten lassen. Ich halte die Romanze für heller, luftiger als die Ballade. Ihr Geschehen ist weniger geschlossen. Auch scheint mir der Romanzenton im ganzen liedhafter zu sein, der Romanzentext von höherem poetischen Karat.

Wir kennen im Deutschen die schöne Wendung *singen und sagen.* Sie verdeutlicht aufs anschaulichste das Wesen des balladenhaften Gedichts. Genau in der Mitte zwischen Singen und Sagen nämlich ist es zu Hause, ja man könnte erklären: die Kopula in dieser Wendung, das ist der Kern der Ballade. Auch das hat der unvermeidliche Goethe schon vorweggenommen. Programmatisch intonierte er eine seiner Balladen: „Wir singen und sagen vom Grafen so gern . . ." Dieses Singen müssen wir übrigens ganz wörtlich nehmen. Alles, was zur Volksdichtung gehört, ist einmal gesungen worden. Die anonymen Balladendichter begnügten sich nicht mit dem Text, sondern erfanden auch die Melodie dazu. Noch den großen klassischen Stücken haftet etwas Rhapsodisches, Rezitatives an. So ist es kein Zufall gewesen, daß sich die Komponisten des 19. Jahrhunderts gerade zu den Balladen besonders hingezogen fühlten und viele von ihnen vertonten.

Um den historischen Faden wieder aufzunehmen: der Niedergang der Balladendichtung um die Jahrhundertwende betraf nur bestimmte zu Tode strapazierte Sujets und Techniken. Während man nicht aufhörte, Preußens Gloria zu balladisieren und Naturkatastrophen zu pseudodämonischen Gesängen auszureimen, begannen einige der jungen, revolutionär gesinnten Poeten den alten Kanon zu verwerfen und nach neuen Ausdrucksmöglichkeiten zu tasten. Ich denke an Rilke, der seine lyrische Geschmeidigkeit an erotischen Konstellationen aus dem Alten Testament erprobte, an die großartig archaischen Bilder in den „Hebräischen Balladen" der Lasker-Schüler, ich denke an Georg Heyms finstere kantige Stücke, mit denen er den Helden der Französischen Revolution Denksteine setzte. Selbst der insichgekehrte Trakl fand neue Töne, etwa in der „Jungen Magd" oder in den auf große Atemstöße gesetzten Prosagesängen. Je öder die Reimereien der Hofdichter Wilhelms auf traditionsreiche Regimenter, je nichtssagender die Holzschnitte von braven Männern und Weibern aus Vätertagen, desto entschiedener die Abkehr von den literarischen Konventionen bei dem Häuflein der wirklich Begabten.

Der Erste Weltkrieg machte dem platten Heldengesang den Garaus. Die Ernüchterung, die den Überlebenden totenblaß ins Gesicht geschrieben stand, war so allgemein, daß sich unsere Dichter den Hang zur Ballade nur zögernd wieder eingestanden, nach einer Weile aber auf breiter Linie mit neuartigen Versuchen einsetzten. Am eindrucksvollsten trat der junge Brecht hervor. Ihn halte ich für den eigentlichen Erneuerer der Ballade, die wir fortan Erzählgedicht nennen wollen.

Dieses Wort, dem englischen *narrative poem* nachgebildet, möchten wir nicht allein auf die Experimente mit Balladenformen anwenden, vielmehr damit auch alle jene Versuche bezeichnen, die neu auf erzählerischen Elementen aufbauen. Denn ist es schon immer sehr heikel gewesen, die Ballade rigoros von den ihr nahestehenden lyrisch-epischen Mustern zu trennen, so wird es jetzt nahezu unmöglich. Der Bruch mit der Konvention der Ballade bedeutet ein schier unersättliches Aufnehmen und Verarbeiten verschiedenster literarischer – nicht bloß lyrischer – Praktiken. Ernüchterung ist Besinnung auf die Prosa des Lebens. Hier im Erzählgedicht unserer Zeit bezieht man sich nun wortwörtlich auf sie; von der Prosa her kommt man zu folgenreichen poetischen Ergebnissen.

Daß Bert Brecht das epische Theater konstruierte, ist bekannt. Daß er parallel dazu eine epische Lyrik schuf, hat uns, soweit ich sehe, noch niemand klargemacht. Brechts umfangreiches lyrisches Œuvre ist durch und durch episch. Ja, man kann ohne Übertreibung sagen, er habe überhaupt nur Erzählgedichte geschrieben. Bis in seine politischen Lehr- und Propagandaverse hinein ist seine epische „Gesinnung" zu spüren: die Überzeugung von der eminenten Bedeutung der

Fabel. Für Brecht war und blieb die Fabel die wichtigste Form der Wahrheitsfindung. Neben ihm haben sich in den zwanziger und dreißiger Jahren – freilich jeder auf seine höchstpersönliche Weise – Georg Britting, Georg von der Vring, Werner Bergengruen, Anton Schnack, Theodor Kramer, Peter Huchel und viele andere verdient gemacht, auch Gottfried Benn. Der Zusammenbruch im Jahre 1945 fegte die letzten Anachronisten mit ihren Balladen auf alte Art von der Bildfläche. Der neuen Generation, die nun ihre Stimme erhob, erschien allein das Wort Ballade so anrüchig, daß sie sich hütete, es in den Mund zu nehmen. Allmählich jedoch kehrte die Courage wieder, man kam auf die Erzählgedichte der Älteren zu sprechen, machte eigene Versuche, bestärkt von den *narrative poems* der Angelsachsen, den Romanzen der Spanier. Heute gibt es wohl keinen bedeutenden Dichter, der sich nicht mit dem Erzählgedicht beschäftigt hätte. (Die Mehrzahl freilich ist sich dessen kaum bewußt.) Viele der bekannt oder gar berühmt gewordenen Gedichte der zeitgenössischen deutschen Lyrik sind von dieser Art. Ich glaube, aus all den Tatsachen ergeben sich für die Gesamtheit unserer Poesie neue Perspektiven und Kriterien, vielleicht sogar Ausblicke in die Zukunft.

Was ist nun ein modernes Erzählgedicht genau? Ich möchte es nicht mit einer Formel aufspießen, sondern nach Möglichkeit anhand von Hinweisen auf Dichter und Gedichte meiner Sammlung andeuten. Zunächst bleiben Grundelemente der Ballade weiter verwendungsfähig. In Brittings Bethlehem-Gedichten sind sie noch am deutlichsten zu erkennen: der kurze gedrungene Vers, der Chronikton, der sagenhafte Glanz von Pferden und Rüstungen, die geheimnisvolle Geburt. Pure geschichtliche Stoffe finden wir in heutigen Erzählgedichten höchst selten. (Ganz anders steht es um zeitgeschichtliche Vorwürfe, worauf wir noch kommen werden.) Auch Brecht zog die Legende der Historie vor, so in seinen unzerstörbaren Versen auf den Emigranten Laotse, wo wir das spezifisch Brechtische sehr rein und vollkommen vor Augen haben. Es ist sein Verdienst, daß er durch den Rückgriff auf den Bänkelsang, aber auch durch seine Vorliebe für den zeitgemäßen Song das balladenhafte Gedicht aus der Versteinerung erlöste, so daß es wieder heftig nach Musik verlangte (und sie erhielt, wo es als Einlage für Brechts Bühnenstücke diente). Der neue Moritatenton wird in verschiedenen Klangfarben hörbar: großstädtisch-ironisch (Kästner), deftig (Zuckmayer), witzig-zärtlich (Ringelnatz), parodistisch (Rühmkorf), absurd, grotesk (Arp und Grass), kaschemmentraurig (Fuchs), politisch (Reinig). Es ist das Gedicht mit dem antibürgerlichen Effet, das Schreck- und Scheuchengedicht, das direkt provozieren möchte. Die liedhafte Form wird hier noch sehr häufig gewahrt mit Reim, Rhythmus, Refrain. Andererseits sind Stücke darunter, die sich vom Nur-Erzählenden ausgerechnet am weitesten entfernt haben. Ich habe ihnen dennoch Platz verschafft, weil ihre Herkunft eindeutig ist.

Ansonsten wird der Leser bald merken, daß die Korona der Jüngeren ihre Erzählgedichte nicht eben oft liedhaft anlegt. Im Gegenteil, ein Zug zum Ungereimten, zum Parlando setzt sich immer stärker bei ihnen durch. Vielfach tritt an die Stelle des „Ich" ein prosaisch unauffälliges „Er", das gelegentlich, etwa bei Krolow, durch nichts näher bezeichnet wird, eine anonyme Figur löst den Helden ab, ein Mann ohne Eigenschaften. Weiter wird der erzählerische Charakter durch den Gebrauch des Imperfekts unmißverständlich hervorgekehrt. Wo man dennoch auf dem „Ich" und dem Präsens beharrt, trägt man seinen Stoff gern in einem „inneren Monolog" vor (Benn „Gewisse Lebensabende").

Wir sind hier an einem wichtigen Punkt angelangt. Die Neuerungen der modernen Epik haben im Erzählgedicht zahlreiche Entsprechungen gefunden. Die Sachlichkeit und Genauigkeit der Berichterstattung, die Hinwendung zum Alltäglichen, die Tendenz, möglichst ohne das große Ach und Oh der Beschwörung auszukommen, das Aussparen des Dramatischen, der negative Held, die Verwerfung der Chronologie: all das, was der moderne Epiker für unumgänglich hält, begegnet uns abermals im Erzählgedicht. Manches Poem wird sich auf den ersten Blick nur durch die Versgliederung von bloßer Prosa abheben. Wer jedoch genauer hinschaut und

hinhört, wird nicht umhin können, auch noch im saloppsten Text das Gedicht zu entdecken: am offenen oder versteckten Rhythmus, an der Wortwahl, vor allem aber an der Konzeption, die in jedem Fall poetisch ist.
Im Wortlaut zeigt sich eine Art Stakkato dominierend. Wie die zeitgenössische Lyrik überhaupt, ist auch die Erzähllyrik vorwiegend substantivisch. So grundverschiedene Autoren wie Billinger („Brueghel") und Heißenbüttel („Heimweh") oder der junge Hoffmann beweisen es im Extrem. Bei ihnen ist das Erzählen zum puren Aufzählen geworden, zu Stichwortreihen, zu additiv aufgeführten Einzelheiten, deren Summe zu ziehen dem Leser vorbehalten bleibt. Überhaupt: die Nutzanwendung, wie man sie einst als Moral von der Geschicht auch Balladen mitgab, fällt gänzlich aus. Wovon sich die moderne Poesie kühn befreit hat, das wird hier keineswegs rückgängig gemacht. Daher dürften uns akausale oder alogische Kombinationen nicht weiter überraschen, ebensowenig die aus rein spielerischen Impulsen entstandenen Bildgeschichten mit ihrer Nachbarschaft zum Concetto, dem phantastisch aufblitzenden Pointengedicht. Krolow ist es, der sich auf diesem Feld als der Fortschrittlichste erweist; darin mit Alberti und Neruda übereinstimmend.
Es hat Epochen gegeben, die Phantasie und Poesie für Synonyme hielten. Zuletzt ist es der Surrealismus gewesen. Beinahe in jedem unserer Gedichte ließe sich ein stark phantasiebestimmter Zug nachweisen. Selbst in die ganz realistischen Texte bricht plötzlich das Phantastische ein: durch eine unverhoffte Überblendung, einen waghalsigen „Schnitt". Zusehends schafft so der Dichter der Bedeutung seiner Dichtung neuen Raum. Dimensionen des Verstehens tun sich auf. Zu einem hemmungslosen Phantasieren aber kommt es nicht. Zuletzt kann das Erzählen auch im freizügigen Gedicht nicht auf Richtung und Ordnung verzichten. Große seitenlange Stücke werden leitmotivisch komponiert, andere nach rondo- und fugenartigen Gliederungen aufgebaut. Eminente Kunst ist am Werk. Das gilt ebenso für Celans weitberühmte „Todesfuge" wie für ein kaum bekanntes Gedicht von der Vrings, das „Die Leuchttürme" heißt und mit knapp zehn

Zeilen ein wahres Paradestück neuer Erzählpoesie darstellt, musterhaft bis in die schwermütige Pointe. Auffallend übrigens, wie viele Kurzgedichte sich in der Sammlung eingefunden haben. Zeichen äußerster Konzentration und Beschränkung, wie sie die Zeit liebt, korrespondierend mit der Lakonität der großen ausländischen Erzähldichter Williams, Ungaretti, Follain.
Aber nun: Wovon erzählen die neuen deutschen Erzählgedichte eigentlich? Den Vorwurf, sie seien kühl und eitel mit ihren eigenen ästhetischen Problemen beschäftigt, kann man ihnen weiß Gott nicht machen. Diese Dichtung ist engagiert. Sie nimmt den Menschen ernst. (Ohne ihm das Spiel zu verderben.) Sie nimmt sich seines privaten wie seines gesellschaftlichen Schicksals an. Wem es an Beweisen für die Anteilnahme der Lyrik an unserem tatsächlichen Hier und Heute mangeln sollte, braucht in dem Buch nicht lange zu blättern. Die sogenannte Zeitbezogenheit, hier ist sie buchstäblich mit Händen zu greifen.
Da meine Sammlung keine Blütenlese ist, in der die Autoren je nach Verdienst mit ihrem „Schönsten" paradieren, habe ich sie nach Themen geordnet. Darüber hinaus spielt eine chronologische Schematisierung eine Rolle. So reichen die Gedichte am Anfang weit hinunter in die Vergangenheit. Doch Historien als Sujets sind – ich erwähnte es schon – sehr selten geworden. Die Geschichte an sich, sinnfällig in ihren Epochen, interessiert gegenwärtig weit mehr als ein einzelner Siegeszug. Gottfried Benn bringt solche Zeiträume kaleidoskopartig in den Blick. Auch in den Künstlerporträts, wo er mit dem „Chopin" einen eigenen Typus des Erzählgedichtes schafft, wird Geschichte gerafft. (Noch in den Poemen auf Orte und Landschaften wetterleuchtet die vergangene Zeit.) Die Zahl der Porträts hätte leicht verdoppelt werden können. Vermutlich sieht man im Künstler den Antihelden schlechthin, sympathisiert mit ihm, weil er die Welt lautlos, unblutig verändert. Noch ein anderer Grund für die Beliebtheit dieses Genres ist wichtig: der Wille, den scheinheiligen bürgerlichen Kult um Kunst und Künstler zu zerschlagen, die menschliche Seite der Sache hart und rein darzustellen.

Wo immer sich falsches Pathos einschleichen könnte, reagiert der Erzähllyriker mit Trockenheit, Ironie, ja Zynismus. Wie unsentimental seine Gesinnung ist, zeigt sich besonders in den Naturgedichten. Das Idyll hat keine Chance. Die Anschauung ist kraftvoll, sinnenhaft und lebensinbrünstig. Ähnliches wird offenbar in den Matrosengedichten – die See seit alters ein Lieblingsthema der Ballade! – wie auch in den Gedichten auf die Liebe, wo sich sogar eine starke Bitterkeit und Verzweiflung zu Wort meldet. Denn der Tod, das macht der folgende Gedichtkreis klar, wird als der dunkle „Doppelgänger der Liebe" verstanden.
Während wir so die Anthologie durchgehen, fallen uns weitere neue Typen des Erzählgedichts auf: etwa Holthusens weitläufige, mit Reflexion gesättigte Stücke, die eine Brücke hinüber zu Auden schlagen; oder Weiterentwicklungen der „Ballade des äußeren Lebens", der „Ballade vom Wandersmann", also der Hofmannsthal-Schroederschen Art, in welcher Begriffe, Gefühle, Erfahrungen gleichsam autonom handeln und anstelle des Einzelschicksals die Dramatik des Menschenloses schlechthin zur Darstellung kommt (Karl Alfred Wolken); Spielarten der lyrischen Groteske: viril, schön schnauzbärtig bei Grass, in einem entrückten Allegro bei Erich Jansen; verschiedene Abwandlungen der Romanze, zuweilen vor östlichen Hintergründen (Bobrowski, Piontek, Meckel); Dialoggedichte (Kaschnitz, Bischoff); oder die an Lapidarität und Bescheidenheit kaum noch überbietbaren Berichte von Walter Helmut Fritz und Hans-Jürgen Heise. Ungewohnte Aspekte ergeben sich durch das harte Nebeneinander von Dichtern verschiedener Generationen, die mitunter ihre Erfahrungen zu ein und derselben Sache äußern, von Gedichten mit gleichem Titel. Britting und Guttenbrunner beispielsweise geben einmal solch eine anregende Nachbarschaft ab, Krolow und Christa Reinig.
Im Zentrum, den Band weithin beherrschend, stehen die Gedichte über die beiden Weltkriege. Mit schonungsloser Drastik, klagend und anklagend, bezeugen sie das Sterben an den Fronten, in den zerschlagenen Städten, den unbestreitbaren Tod von Millionen. Sie wollen abschrecken, die Ge-

dichte, den Nachkommenden die Augen öffnen. Auf die Unmenschlichkeit der Kriegsbräuche folgt der Frieden ohne Vertrag. Sooft von ihm die Rede ist, sind wir auf unserem Boden, der brennt. Unter Vertriebenen, Verkauften, in einem geteilten Land. Die Grenze zwischen Deutschland und Deutschland kommt zur Sprache (Neumann), die absurde Situation Berlins wird beim Namen genannt (Haufs), weitere Namen wie Hiroshima, Ungarn, China fallen Schlag auf Schlag. Gleich Erdbebenausläufern sind die Nachwirkungen der Politik und ihrer Fortsetzung mit anderen Mitteln bis in die anschließenden Gedichtgruppen hinein zu spüren, die mit der sozialen Rolle Einzelner, den Lebensaltern, dem Alltag in unseren Jahren zu tun haben. Überall noch Rauch an den Mauern, leere Stellen . . .
Die letzte Gruppe der Anthologie schließt den Stromkreis mit der Tradition insofern, als sie durchweg wieder balladeske Fabeln und Bilder bevorzugt. Doch sind die Gedichte nichts weniger als traditionell. Es sind Visionen. Stücke von starker Magie und reißender Metaphorik. Am Ende wird eine schwarze Sonne gehißt und zu Fall gebracht. Das ist – in der heute bevorzugten Denkweise – die Negation der Negation. Noch einmal auf die Spitze getrieben, erscheint die Wahrheit als Zweifel, den man begräbt in reinem Schnee. Es leuchtet ein.

Heinz Piontek

Zur neuen Ausgabe (1980)

Die erste Auflage meiner Anthologie erschien im Herbst 1964. Seitdem hat sich die Bezeichnung *Erzählgedicht* bei uns eingebürgert. Daß als sichtliche Folge der Anthologie die Balladen-Sammlungen wieder ins Kraut schießen würden, war nicht vorauszusehen. Nun, ich freue mich, daß mein Buch offenbar so anregend wirkt, stehe aber nur ungern Pate bei solchen Auswahlen, die den Anschein erwecken, als sei alles beim alten geblieben. Mit dem Begriff der Ballade kommen wir nicht weiter. So wird es auch Sache dieser Ausgabe sein, auf eine Veränderung in unserer Lyrik nachdrücklich hinzuweisen.

H. P.

KÖNIGE UND HIRTEN

Legende von der Entstehung des Buches Taoteking auf dem Weg des Laotse in die Emigration

Als er Siebzig war und war gebrechlich
Drängte es den Lehrer doch nach Ruh
Denn die Güte war im Lande wieder einmal schwächlich
Und die Bosheit nahm an Kräften wieder einmal zu.
Und er gürtete den Schuh.

Und er packte ein, was er so brauchte:
Wenig. Doch es wurde dies und das.
So die Pfeife, die er immer abends rauchte
Und das Büchlein, das er immer las.
Weißbrot nach dem Augenmaß.

Freute sich des Tals noch einmal und vergaß es
Als er ins Gebirg den Weg einschlug.
Und sein Ochse freute sich des frischen Grases
Kauend, während er den Alten trug.
Denn dem ging es schnell genug.

Doch am vierten Tag im Felsgesteine
Hat ein Zöllner ihm den Weg verwehrt:
„Kostbarkeiten zu verzollen?" – „Keine."
Und der Knabe, der den Ochsen führte, sprach: „Er hat gelehrt."
Und so war auch das erklärt.

Doch der Mann in einer heitren Regung
Fragte noch: „Hat er was rausgekriegt?"
Sprach der Knabe: „Daß das weiche Wasser in Bewegung
Mit der Zeit den mächtigen Stein besiegt.
Du verstehst, das Harte unterliegt."

Daß er nicht das letzte Tageslicht verlöre
Trieb der Knabe nun den Ochsen an
Und die drei verschwanden schon um eine schwarze Föhre
Da kam plötzlich Fahrt in unsern Mann
Und er schrie: „He, du! Halt an!

Was ist das mit diesem Wasser, Alter?"
Hielt der Alte: „Intressiert es dich?"
Sprach der Mann: „Ich bin nur Zollverwalter
Doch wer wen besiegt, das intressiert auch mich.
Wenn du's weißt, dann sprich!

Schreib mir's auf! Diktier es diesem Kinde!
So was nimmt man doch nicht mit sich fort.
Da gibt's doch Papier bei uns und Tinte
Und ein Nachtmahl gibt es auch: ich wohne dort.
Nun, ist das ein Wort?"

Über seine Schulter sah der Alte
Auf den Mann: Flickjoppe. Keine Schuh.
Und die Stirne eine einzige Falte.
Ach, kein Sieger trat da auf ihn zu.
Und er murmelte: „Auch du?"

Eine höfliche Bitte abzuschlagen
War der Alte, wie es schien, zu alt.
Denn er sagte laut: „Die etwas fragen
Die verdienen Antwort." Sprach der Knabe: „Es wird auch
schon kalt."
„Gut, ein kleiner Aufenthalt."

Und von seinem Ochsen stieg der Weise
Sieben Tage schrieben sie zu zweit

Und der Zöllner brachte Essen (und er fluchte nur noch leise
Mit den Schmugglern in der ganzen Zeit).
Und dann war's soweit.

Und dem Zöllner händigte der Knabe
Eines Morgens einundachtzig Sprüche ein.
Und mit Dank für eine kleine Reisegabe
Bogen sie um jene Föhre ins Gestein.
Sagt jetzt: kann man höflicher sein?

Aber rühmen wir nicht nur den Weisen
Dessen Name auf dem Buche prangt!
Denn man muß dem Weisen seine Weisheit erst entreißen.
Darum sei der Zöllner auch bedankt:
Er hat sie ihm abverlangt.

BERTOLT BRECHT

Die Hirtenstrophe

Wir gingen nachts gen Bethlehem
und suchten über Feld
den schiefen Stall aus Stroh und Lehm,
von Hunden fern umbellt.

Und drängten auf die morsche Schwell
und sahen an das Kind.
Der Schnee trieb durch die Luke hell
und draußen Eis und Wind.

Ein Ochs nur blies die Krippe warm,
der nah der Mutter stand.

Wie war ihr Kleid, ihr Kopftuch arm,
wie mager ihre Hand.

Ein Esel hielt sein Maul ins Heu,
fraß Dorn und Distel sacht.
Er rupfte weich die Krippenstreu,
o bitterkalte Nacht.

Wir hatten nichts als unsern Stock,
kein Schaf, kein eigen Land,
geflickt und fasrig war der Rock,
nachts keine warme Wand.

Wir standen scheu und stummen Munds:
Die Hirten, Kind, sind hier.
Und beteten und wünschten uns
Gerät und Pflug und Stier.

Und standen lang und schluckten Zorn,
weil uns das Kind nicht sah.
Griff nicht das Kind dem Ochs ans Horn
und lag dem Esel nah?

Es brannte ab der Span aus Kien.
Das Kind schrie und schlief ein.
Wir rührten uns, feldein zu ziehn.
Wie waren wir allein!

Daß diese Welt nun besser wird,
so sprach der Mann der Frau,
für Zimmermann und Knecht und Hirt,
das wisse er genau.

Ungläubig hörten wirs – doch gern.
Viel Jammer trug die Welt.
Es schneite stark. Und ohne Stern
ging es durch Busch und Feld.

Gras, Vogel, Lamm und Netz und Hecht,
Gott gab es uns zu Lehn.
Die Erde aufgeteilt gerecht,
wir hättens gern gesehn.

PETER HUCHEL

Könige und Hirten

Im finstern Stall,
Auf Stroh, das welk,
Unterm Wagen
Schläft das Kind.

Stimmen singen im Gebälk
Mit süßem Schall.
So süßen Schall singt nicht der Wind.

Kühe mit den
Schwänzen schlagen,
Muhen brusttief lind.

Eilig reiten,
Lang schon ritten,
Feine Leute,
Ungeduldig, heilig zornig,
Mit Gesinde
Hinter sich und
Goldbehängten

Sattels, silberspornig,
Im gedrängten
Truppe zu dem Kind.

Hirten gingen
Nicht von ihrem Platze vorn
Beim Klingen
Von Gewehr und Sporn.

Und die Feinen
Leiden es,
Daß die Gemeinen
Schulterbreit vor ihnen sind.

Heben sich nur auf den Zehen,
Sagen ein Bescheidenes,
Daß ihre Gastgeschenke gehen
Still von Hand zu Hand nach vorn,
Zu dem Kind,
Das sie nicht sehen.

So die dunklen Hirten hoben
Königsgold und fremd Gewürz,
Gelber Schalen Lichtgestürz
Vor den weißen Schläfer hin.

Einstimmig loben
Ritter und
Gesind
Und Hirtenmund
Das Kind.

Süß singts mit vom Balken oben.

GEORG BRITTING

Kaschubisches Weihnachtslied

Wärst du, Kindchen, im Kaschubenlande,
Wärst du, Kindchen, doch bei uns geboren!
Sieh, du hättest nicht auf Heu gelegen,
Wärst auf Daunen weich gebettet worden.

Nimmer wärst du in den Stall gekommen,
Dicht am Ofen stünde warm dein Bettchen,
Der Herr Pfarrer käme selbst gelaufen,
Dich und deine Mutter zu verehren.

Kindchen, wie wir dich gekleidet hätten!
Müßtest eine Schaffellmütze tragen,
Blauen Mantel von kaschubischem Tuche,
Pelzgefüttert und mit Bänderschleifen.

Hätten dir den eignen Gurt gegeben,
Rote Schuhchen für die kleinen Füße,
Fest und blank mit Nägelchen beschlagen!
Kindchen, wie wir dich gekleidet hätten!

Kindchen, wie wir dich gefüttert hätten!
Früh am Morgen weißes Brot mit Honig,
Frische Butter, wunderweiches Schmorfleisch,
Mittags Gerstengrütze, gelbe Tunke,

Gänsefleisch und Kuttelfleck mit Ingwer,
Fette Wurst und goldnen Eierkuchen,
Krug um Krug das starke Bier aus Putzig!
Kindchen, wie wir dich gefüttert hätten!

Und wie wir das Herz dir schenken wollten!
Sieh, wir wären alle fromm geworden,
Alle Kniee würden sich dir beugen,
Alle Füße Himmelswege gehen.

Niemals würde eine Scheune brennen,
Sonntags nie ein trunkner Schädel bluten, –
Wärst du, Kindchen, im Kaschubenlande,
Wärst du, Kindchen, doch bei uns geboren!

WERNER BERGENGRUEN

Der Bethlehemitische Kindermord

Die Soldaten des Herodes stiegen herab von den Bergen,
Sie trugen Schwerter vor sich her.
Viele schämten sich ihres Amtes, schalten sich selber
Schergen.
Andre grinsten. Sie liebten die Arbeit sehr.

Die war nicht schwer.
Sie schlugen den Kindern die Köpfe ab. Mit einem Streich
Oft. Manchmal trafen sie nicht gleich,
Brauchten zwei und drei Hiebe und mehr.

Und sagten zur Mutter, wenn sie entsetzlich schrie:
„Na, was! Kannst wieder andre gebären!"
Und hörte das Weib nicht auf zu plärren:
„Schieb ab, du Vieh!

Was willst du? Er wills, Herodes, der Herr!"
Die Mütter fragten: „Wie sieht er aus?"

„Er wohnt in einem goldenen Haus,
Hat Augen aus Glas, einen Bart wie ein Bock,
Einen roten Rock und die Hände von Ringen schwer."

„In unseren Tränen soll er ersaufen!
Sie solln ihm versalzen sein Brot!"
Sie konnten vor Lachen nicht schnaufen.
„Herodes, der Herr, der nur Rebhühner frißt."
Sie warfen die Leichen mit Schwung auf den Mist
Und zogen in lärmenden Haufen
Weiter und schlugen die Kinder tot.

Er hatte Krüge voll Rotwein stehn,
Herodes, betrank sich und lag.
Einen Bart wie ein Bock, die Schenkel fett,
So lag er auf seinem seidenen Bett
Und schnarchte bis tief in den Tag.

GEORG BRITTING

Der seltsam Gekreuzigte

Altcatalanischer Bildstock

Nur eine Stange steht im Feld.
Den Arm nach oben, Arm nach unten,
So angenagelt, angebunden
Der Fürst und Heiland dieser Welt.

Das Querstück oben eingespart,
Kein Holz zuviel für den Verächter
Des Erdenscheins – so schrien die Schlächter,
Ums Lammstück, das schon briet, geschart.

GEORG SCHNEIDER

Meier Helmbrecht

Als Meier Helmbrecht nicht mehr sah
und keine rechte Hand mehr hatte, keinen linken Fuß,
ließ man ihn schrein vorm Tor und da
trat aus dem Haus der Vater und er bot ihm Hohn als Gruß.

In seinen Böden roch das Heu.
Im Stalle brüllte Vieh, die Kühe ruhten falb.
Er gab kein Brot. Er ließ den Sohn nicht kauern in die Streu.
Er schlachtete kein Kalb.

Verspottete den Krüppel, frug voll Hohn
ihn nach dem Drilch und den Getreidesäcken.
Er schlug das Hoftor zu vor dem verlornen Sohn
und ließ den Blinden stehn bei seinem Stecken.

Meier Helmbrecht, wo ist dein gelbes Haar?
Es hängt am Zaun wie Werg am Rocken.
Im Frühjahr bauen Meis' und Star
ihr Nest aus deinen Locken.

Die wilden Bauern geben dir den Rest.
Aus ihren Weilern kommen sie in Herden.
Sie stoßen dich zum Wald. Du siehst nicht das Geäst,
dran sie dich hängen werden.

WILHELM SZABO

Schach

Die Türme fielen in Feindes Hand,
meine Bauern habe ich verloren,
weise mich nicht aus deinem Land:
ich bringe dir die Gaben eines Mohren.

Zum Henker mit den Königinnen,
die schmieden nur Ränke und Lug,
ohne Mann und Roß stehe ich vor deinen Zinnen,
ein armer König –: du bist am Zug.

CYRUS ATABAY

Umsonst

Umsonst malst du Herzen ans Fenster:
der Herzog der Stille
wirbt unten im Schloßhof Soldaten.
Sein Banner hißt er im Baum – ein Blatt, das ihm blaut,
wenn es herbstet;

die Halme der Schwermut verteilt er im Heer und die Blumen
der Zeit;
mit Vögeln im Haar geht er hin zu versenken die Schwerter.

Umsonst malst du Herzen ans Fenster: ein Gott ist unter den
Scharen,
gehüllt in den Mantel, der einst von den Schultern dir sank
auf der Treppe, zur Nachtzeit,
einst, als in Flammen das Schloß stand, als du sprachst wie
die Menschen: Geliebte ...
Er kennt nicht den Mantel und rief nicht den Stern an und
folgt jenem Blatt, das vorausschwebt.
‚O Halm', vermeint er zu hören, ‚o Blume der Zeit'.

PAUL CELAN

Das Erbe des Sancho Pansa

Als er alt war, erbte, wie versprochen,
Sancho Pansa, Bauer und Held,
ein Königreich auf fernverborgenen Inseln,
herrschte über Schatten, Schnee und Rauch,
über Tonnen Tau und Fuder Wind,
über das Licht
und den goldgrubentiefen Mond.

Doch sein Reich verteidigte ihn schlecht;
wenn er außer Schlaf sein Maultier ritt,
hielt ihn die Öde Spaniens im Exil,
nichts ahnte sein Weib
von Königinnen und Kriegen,
und nur der Stein lag ihm zu Füßen.

Wenn er sein Land betrat im Rausch,
sah er Gärten, Sunde, Residenzen
liegen in Mitternachtssonne, Don Quichote
eilte zu Besuch, durch große
Tollkirschparke sah man sie lustwandeln
und durch finstrer Ulmen Rauschgoldwälder.

Doch erwachend fand er leere Krüge,
schrie nach Wein und hörte, staunend,
in dem Schuppen Rosinante stampfen,
den er seinem Kind in Pflege gegeben.

CHRISTOPH MECKEL

Von des Cortez Leuten

Am siebten Tage unter leichten Winden
Wurden die Wiesen heller. Da die Sonne gut war
Gedachten sie zu rasten. Rollten Branntwein
Von ihren Wägen, machten Ochsen los.
Die schlachteten sie gegen Abend. Als es kühl ward
Schlug man vom Holz des nachbarlichen Sumpfes
Armdicke Äste, knorrig, gut zu brennen.
Dann schlangen sie gewürztes Fleisch hinunter
Und fingen singend um die neunte Stunde
Mit Trinken an. Die Nacht war kühl und grün.
Mit heisrer Kehle, tüchtig vollgesogen
Mit einem letzten, kühlen Blick nach großen Sternen
Entschliefen sie gen Mitternacht am Feuer.
Sie schliefen schwer, doch mancher wußte morgens
Daß er die Ochsen einmal brüllen hörte.
Erwacht gen Mittag, sind sie schon im Wald.

Mit glasigen Augen, schweren Gliedern, heben
Sie ächzend sich aufs Knie und sehen staunend
Armdicke Äste, knorrig, um sie stehen
Höher als mannshoch, sehr verwirrt, mit Blattwerk
Und kleinen Blüten süßlichen Geruchs.
Es ist sehr schwül schon unter ihrem Dach
Das sich zu dichten scheint. Die heiße Sonne
Ist nicht zu sehen, auch der Himmel nicht.
Der Hauptmann brüllt als wie ein Stier nach Äxten.
Die liegen drüben, wo die Ochsen brüllen.
Man sieht sie nicht. Mit rauhen Flüchen stolpern
Die Leute im Geviert, ans Astwerk stoßend
Das zwischen ihnen durchgekrochen war.
Mit schlaffen Armen werfen sie sich wild
In die Gewächse, die leicht zittern, so
Als ginge schwacher Wind von außen durch sie.
Nach Stunden Arbeit pressen sie die Stirnen
Schweißglänzend finster an die fremden Äste.
Die Äste wuchsen und vermehrten langsam
Das schreckliche Gewirr. Später, am Abend
Der dunkler war, weil oben Blattwerk wuchs
Saßen sie schweigend, angstvoll und wie Affen
In ihren Käfigen, von Hunger matt.
Nachts wuchs das Astwerk. Doch es mußte Mond sein
Es war noch ziemlich hell, sie sahn sich noch.
Erst gegen Morgen war das Zeug so dick
Daß sie sich nimmer sahen, bis sie starben.
Den nächsten Tag stieg Singen aus dem Wald.
Dumpf und verhallt. Sie sangen sich wohl zu.
Nachts ward es stiller. Auch die Ochsen schwiegen.
Gen Morgen war es, als ob Tiere brüllten
Doch ziemlich weit weg. Später kamen Stunden

Wo es ganz still war. Langsam fraß der Wald
In leichtem Wind, bei guter Sonne, still
Die Wiesen in den nächsten Wochen auf.

BERTOLT BRECHT

Befehl des Baumeisters beim Bau der Prinz-Eugen-Straße

Gleich zu Beginn
Ein breiter Streifen Wind,
An seinem Rande pflanzt den Essigbaum.
Vergeßt die Tauben nicht,
Und bald – ich schwör es –
Geht der Staub
An euren Türmen hoch,
Wenn diese Wolken
Sich zu den helleren am Himmel schlagen,
Kennt ihr das Muster,
Findet ihr den Plan.
Gegeben am –

ILSE AICHINGER

Reiherbeize im Rokoko

Zieht ihr aus zur Reiherbeize
Mit den Rappen und den Falben,
Mit den schnellen Islandfalken
Und dem Blaufuß auf der Trage:
Sei der Tag ein schöner, stiller,
Sei die Kleidung scharlachfarben,
Denn das Blut bleibt unvergossen.

Seht, wie der gescheuchte Vogel
– Arabeskenzarter Schneeglanz –
Die Figuren in die Luft schreibt,
Wie die abgeworfnen Falken
Kontrapunktisch ihn begleiten,
Aufwärtsstoßen, abwärtsgleiten,
Die Trophäe niederbringen.

Und kein Reiherblut wird jemals
Eure Augenlust beflecken,
Eure Rappen, eure Falben,
Eure schnellen Islandfalken,
Euren Blaufuß auf der Trage:
Zärtlich sind die Federspiele,
Sanft die Vogelarabesken.

Denn der Tod liebt Schattenspiele
An den schönen, stillen Tagen,
In gepflegten Reiherwäldern;
Läßt sich kontrapunktisch bannen,
Bis das Blut, das unvergossne,
Angelockt von Scharlachfarben,
Jählings sich des Spiels bemächtigt.

ECKART KLESSMANN

Ancien Régime

Horntriolen, porzellanen,
Zartes Glockenspielgeläute,
Schmale braune Windspielmeute
Würgt die Reiher und Fasanen.

Puderschnee auf grünen Röcken
Widerspiegelt in den Teichen,
Vogelblut zerfließt zu weichen
Ornamenten ohne Schrecken.

Feuerwerke, Wasserspiele,
Menuett und Gigue vertollen,
Schüsse aus der Ferne rollen
Todesbitter durch die Kühle.

Trommeln gehn das Fest zerschmettern,
Andre Jäger sind geladen,
Andres Blut rinnt in Kaskaden
Rauchend von erhöhten Brettern.

ECKART KLESSMANN

St. Petersburg-Mitte des Jahrhunderts

„Jeder, der einem anderen hilft,
ist Gethsemane,
Jeder, der einen anderen tröstet,
ist Christi Mund",
singt die Kathedrale des Heiligen Isaak,
das Alexander-Newsky-Kloster,
die Kirche des Heiligen Peter und Paul,
in der die Kaiser ruhn,
sowie die übrigen hundertzweiundneunzig griechischen,
acht römisch-katholischen,
eine anglikanische, drei armenische,
lettische, schwedische, estnische,
finnische Kapellen.

Wasserweihe
der durchsichtigen blauen Newa
am Dreikönigstag.
Sehr gesundes Wasser, führt die fremden Stoffe ab.
Trägt die herrlichen Schätze heran
für das Perlmutterzimmer,
das Bernsteinzimmer
von Zarskoje Selo
in den Duderhoffschen Bergen,
den himmelblauen sibirischen Marmor
für die Freitreppen.
Kanonensalven
wenn sie auftaut,
Tochter der Seen
Onega und Ladoga!

Vormittagskonzert im Engelhardtschen Saal,
Madame Stepanow,
die Glinkas „Das Leben für den Zaren"
kreiert hatte, schreit unnatürlich,
Worojews Bariton hat schon gelitten.
An einem Pfeiler,
mit vorstehenden weißen Zähnen,
afrikanischer Lippe,
ohne Brauen,
Alexander Sergeitsch (Puschkin).

Neben ihm Baron Brambeus,
dessen „großer Empfang beim Satan"
als Gipfel der Vollkommenheit gilt.
Violoncellist: Davidoff.
Und dann die russischen Bässe: ultratief,

die normalen Singbässe vielfach in der Oktave
verdoppelnd,
das Contra C rein und voll,
aus zwanzig Kehlen
ultratief.

Zu den Inseln!
Namentlich Kretowsky – Lustort, Lustwort –,
Baschkiren, Bartrussen, Renntiersamojeden
auf Sinnlichkeits- und Übersinnlichkeitserwerb!
Erster Teil:
„Vom Gorilla bis zur Vernichtung Gottes",
Zweiter Teil:
„Von der Vernichtung Gottes bis zur Verwandlung
des physischen Menschen" –
Kornschnaps!
Das Ende der Dinge
Ein Branntweinschluckauf
Ultratief!

Raskolnikow
(als Ganzes weltanschaulich stark bedrängt)
betritt Kabak,
ordinäre Kneipe.
Klebrige Tische,
Ziehharmonika,
Dauertrinker,
Säcke unter den Augen,
Einer bittet ihn
„zu einer vernünftigen Unterhaltung",
Heuabfälle im Haar.
(Anderer Mörder:

Dorian Gray, London,
Geruch des Flieders,
honigfarbener Goldregen
am Haus –, Parktraum –
betrachtet Ceylonrubin für Lady B.,
bestellt Gamelangorchester.)

Raskolnikow,
stark versteift,
wird erweckt durch Sonja „mit dem gelben Billet"
(Prostituierte. Ihr Vater
steht der Sache „im Gegenteil tolerant gegenüber"),
sie sagt:
„Steh auf! Komm sofort mit!
Bleib am Kreuzweg stehn,
Küsse die Erde, die Du besudelt,
vor der Du gesündigt hast,
verneige Dich dann vor aller Welt,
sage allen laut:
Ich bin der Mörder –,
willst Du?
Kommst Du mit?" –
und er kam mit.

Jeder, der einen anderen tröstet,
ist Christi Mund –

GOTTFRIED BENN

GEDENKEN

Brueghel

O, so sehr bin ich verworfen
oft vom Gotte meines Herzens!
Einer Eintracht gute Stunden
habe selten ich empfunden.

Ich, ja ich im roten Barte,
der sich nachts mit Mägden paarte,
mußte oft mich scheu verstecken
und den Leu mit Lammsfell decken!

Auf den Äckern raucht der Mist,
Nebel seine Fahne hißt,
altes Weib mit Tränensäcken
keifet hinter Zaunesstecken,
räuder Hund muß wegverrecken,
Hähne ihren Zornkamm recken,
fahre, Wolke! falle, Mond!
Meine Hand die Bettler lohnt.

Komme aus der Stadt gezogen,
hab dem Weib mein Herz verlogen,
seh an eines Waldes Tümpel
noch die Binsen wintergrünen,
kenn der Knechte Stundenschläge,
laufe mondgeweihte Wege,
sitze mild und wild auf Bänken
lärmgefüllter Säuferschenken.
Trage alles mir zum Herzen,
kindberaubter Mütter Schmerzen,
seh der Zecher Augendunkel

und der Kerzen Blutgefunkel
und des Weltmeers Flammenwogen
und der Nächte Sternenbogen
und die Ferkel in den Trogen
und das Wild, durchbohrt vom Speere,
schätze auch die Ritterehre,
raubte aus dem Ehetrühlein,
kauf der Magd das Seidenschühlein,
male brave Heiligenbilder,
glühender und herzenswilder
Saufgelage, Kirchweihtänze,
Myrtenbusch und Veilchenkränze.

Jesus selbst, den Wunderbaren,
sehe ich in Landsknechtscharen
seine Gotteswürde wahren –
ich verberg mich hinterm Baume,
spare mich zu einem Traume,
wo auf edler Rosse Rücken
ich mich kann noch königsschmücken!

Ja, die Reiter, die da rauben,
und die Wege, die da stauben,
und die Krüppel, die da ächzen,
und die Hunde, die da lechzen,
Ikarus, im Meer versunken,
Bauern, die den Honig tunken,
betendstille Kuttenfrauen,
Blinde, die schon Gott anschauen,
Heilige, vom Mond umflossen,
hosenbunte Jahrmarktsnarren,
Knechte, die den Kuhmist karren,

Kinder, die den Frühling spielen,
mit dem Pfeil auf Vögel zielen,
und den fromm Almosenspender
zeiget all mein Weltkalender!

O, des Frühlings erstes Spüren!
Mägde noch den Ofen schüren.
Aus den fetten Ackerschollen
mondesfrohe Hasen tollen.
Altes Laub und frischer Dünger.
Fühle mich im Winde jünger,
sitzt der Tod auch auf dem Laken,
ist die Hölle voller Peinnis –
jede Wolke birgt Geheimnis
und die Faust, den Krug zu packen,
und des Weibes nackter Nacken!

Aus den Türen lachen Kinder,
fühlen auch ihr Herz gelinder,
Amseln läuten aus den Zweigen,
Tauben sich vom Dache neigen,
Möven in den Wolken flacken,
und das Meer, gefüllt mit Wracken,
kommt –!

Liebest du den Jahrmarktstrubel?
Herz der Lerche stirbt vor Jubel.
Bauern schon den Wiesbaum seilen,
Mägde kreischen, Knechte geilen,
Korn und Weizen liegt in Garben,
auch die vielen Blumen starben,
Röcke schlitzen, Blitze gieren,

Hexlein leicht ihr Hemd verlieren,
hinter Scheunen in den Nesseln
sitzen sie auf Windessesseln,
aus dem Anger mahnt die Eiche,
früchtleinfeste, schattenreiche,
Kinder eine Tollkirsch pflücken
und die Bettlerhosen lücken,
Strolche nach dem Hasen lanzen,
überm Abtritt Mücken tanzen.

Herbstesklarheit liebt der Weise,
Vögel fordern ihre Reise,
Kühe fallen in die Tore,
Nebel spicken Sumpf und Moore,
Bauer geht ans Schweineschlachten,
Spatzen noch den Mist verachten,
Hunde vor dem Igel blecken
und der Hunger dürrt zum Stecken.

Weite Teiche, schwarz vom Eise,
Schlitten auf der Winterreise,
Schlittschuhläufer, lustumwittert,
Schellenglöckleins Luft durchzittert,
alte Eiche lockt den Raben,
Rehe sich an Rinden laben,
Faullaub auf dem Rasen schwemmt,
Knospen noch der Herrgott hemmt.
Reisig klauben arme Leute,
Jäger schleppen ihre Beute
und ein Himmel, lichtdurchflossen,
und ein Röslein, gottentsprossen!

RICHARD BILLINGER

Villon

Du, die Landschaft Touraine
durchstreifend: Steingrund
großer Städte immer
unter den Schritten, du
kommst nicht zurück.

Mond
hinter dir, schräg,
die langen Schatten voraus
vom Getürm und den Bäumen.
Einer geht da, pfeifend.
Den umhängt mit flüchtigen
kleinen Wolken – Chitongeweb –
der Diebsgott, ein griechischer, heißt's.

Kahlkopf, schwenk den Hut!
Dein Bild auf den mördrischen Spiegeln
aller Weiher! Im windigen Nord
weit das Fischernest:
unter der Mauer, im schiefen
Dach, in den Nebeln,
wirst du schlafen, die Männer
kommen morgens vom Fang, das Getränk
steht an den Herd gerückt,
da springt in den Pfannen der lautlose
Martyr, er glänzt vom Öl,
der Meerfisch. – „Da werd ich schlafen."

JOHANNES BOBROWSKI

Gewisse Lebensabende

1

Du brauchst nicht immer die Kacheln zu scheuern,
Hendrickje,
mein Auge trinkt sich selbst,
trinkt sich zu Ende –
aber an anderen Getränken mangelt es –
dort die Buddhastatue,
chinesischen Haingott,
gegen eine Kelle Hulstkamp,
bitte!

Nie etwas gemalt
in Frostweiß oder Schlittschuhläuferblau
oder dem irischen Grün,
aus dem der Purpur schimmert –
immer nur meine Eintönigkeit,
mein Schattenzwang –
nicht angenehm,
diesen Weg so deutlich zu verfolgen.

Größe – wo?
Ich nehme den Griffel
und gewisse Dinge stehn dann da
auf Papier, Leinwand
oder ähnlichem Zunder –
Resultat: Buddhabronze gegen Sprit –
aber Huldigungen unter Blattpflanzen,
Bankett der Pinselgilde –:
was fürs Genre –!

. . . Knarren,
Schäfchen, die quietschen,
Abziehbilder
flämisch, rubenisch
für die Enkelchen –!
(ebensolche Idioten –!)
Ah – Hulstkamp –
Wärmezentrum,
Farbenmittelpunkt,
mein Schattenbraun –
Bartstoppelfluidum um Herz und Auge –

2

Der Kamin raucht
– schnäuzt sich der Schwan vom Avon –,
die Stubben sind naß,
klamme Nacht, Leere vermählt mit Zugluft –
Schluß mit den Gestalten,
übervölkert die Erde
reichlicher Pfirsichfall, vier Rosenblüten
pro anno –
ausgestreut,
auf die Bretter geschoben
von dieser Hand,
faltig geworden
und mit erschlafften Adern!

Alle die Ophelias, Julias,
bekränzt, silbern, auch mörderisch –
alle die weichen Münder, die Seufzer,
die ich aus ihnen herausmanipulierte –

die ersten Aktricen längst Qualm,
Rost, ausgelaugt, Rattenpudding –
auch Herzens-Ariel bei den Elementen.

Die Epoche zieht sich den Bratenrock aus.
Diese Lord- und Lauseschädel,
ihre Gedankengänge,
die ich ins Extrem trieb –
meine Herren Geschichtsproduzenten
alles Kronen- und Szepteranalphabeten,
Großmächte des Weltraums
wie Fledermaus oder Papierdrachen!

Sir Goon schrieb neulich an mich:
der Rest ist Schweigen: –
ich glaube, das ist von mir,
kann nur von mir sein,
Dante tot – eine große Leere
zwischen den Jahrhunderten
bis zu meinen Wortschatzzitaten –
aber wenn sie fehlten,
der Plunder nie aufgeschlagen,
die Buden, die Schafotte, die Schellen
nie geklungen hätten –:
Lücken –?? Vielleicht Zahnlücken,
aber das große Affengebiß
mahlte weiter
seine Leere, vermählt mit Zugluft –
die Stubben sind naß
und der Butler schnarcht in Porterträumen.

GOTTFRIED BENN

Racine läßt sein Wappen ändern

Ein heraldischer Schwan
und eine heraldische Ratte
bilden – oben der Schwan,
darunter die Ratte –
das Wappen des Herrn Racine.

Oft sinnt Racine
über dem Wappen und lächelt,
als wüßte er Antwort,
wenn Freunde nach seinem Schwan fragen
aber die Ratte meinen.

Es steht Racine
einem Teich daneben
und ist auf Verse aus,
die er kühl und gemessen
mittels Mondlicht und Wasserspiegel verfertigen kann.

Schwäne schlafen
dort wo es seicht ist,
und Racine begreift jenen Teil seines Wappens,
welcher weiß ist
und der Schönheit als Kopfkissen dient.

Es schläft aber die Ratte nicht,
ist eine Wasserratte
und nagt, wie Wasserratten es tun,
von unten mit Zähnen
den schlafenden Schwan an.

Auf schreit der Schwan,
das Wasser reißt,
Mondlicht verarmt und Racine beschließt,
nach Hause zu gehen,
sein Wappen zu ändern.

Fort streicht er die heraldische Ratte.
Die aber hört nicht auf, seinem Wappen zu fehlen.
Weiß stumm und rattenlos
wird der Schwan seinen Einsatz verschlafen –
Racine entsagt dem Theater.

GÜNTER GRASS

Lenz

So lebte er hin . . .

Büchner

Nachthindurch, im Frost der Kammer,
Wenn die Pfarre unten schlief,
Blies ins Kerzenlicht der Jammer,
Schrieb er stöhnend Brief um Brief,
Wirre Schreie an die Braut –
  Lenz, dich ließ die Welt allein!
  Und du weißt es und dir graut:
  Was die alten Truhen bergen
  An zerbrochenem Gepränge,
  Was an Rosen liegt auf Särgen,
  Diese Botschaft ist noch dein.
  Kalter Kelch und Abendmahl.

Und der Gassen trübe Enge.
Und die Schelle am Spital.

Jungfräulicher Morgenhimmel,
Potentaten hoch zu Roß,
Kutschen, goldgeschirrte Schimmel,
Staub der Hufe schluckt der Troß.
Und die Dame schwingt den Fächer.
Und den Stock schwingt der Profoß.
Kirchen, Klöster, steile Dächer,
Mauerring um Markt und Maut.
Schwarz von Dohlen überflogen
Postenruf und Orgellaut.
Im Gewölb, im spitzen Bogen,
Stehen sie, in Stein gehauen,
Die durch Glorie gezogen,
Landesherren, Fürstenfrauen.
Doch kein Wappen zeigt die Taten:
Hoffart, Pracht und Üppigkeit,
Nicht den hinkenden Soldaten,
Armes Volk der Christenheit
Und das Korn, von Blut betaut –
Lenz, du mußt es niederschreiben,
Was sich in der Kehle staut:
Wie sie's auf der Erde treiben
Mit der Rute, mit der Pflicht.
Asche in dem Feuer bleiben
War dein Amt, dein Auftrag nicht.

Oh, des Frühjahrs Stundenschläge!
Dünn vom Münster das Geläut.
Durch den Wingert grüne Wege,

Wo der Winzer Krume streut.
Auch der Büßer geht im Licht.
Und die schwarzverhüllte Nonne
Mit dem knochigen Gesicht
Spürt im Kreuzgang mild die Sonne.
Und der Pappeln kühles Schweben
In der Teiche weißem Rauch,
Ist es nicht das schöne Leben,
Diese Knospe, dieser Strauch?
Im Gehölz, vom Wind erhellt,
Schulternackt der Nymphen Gruppe
Und ein Lachen weht vom Fluß –
  Doch wer atmet rein die Welt,
  Wenn er seine Bettelsuppe
  Täglich furchtsam löffeln muß!
  Lenz, du weißt es und dir graut:
  Wer sich windet, wer sich beugt,
  Wer den Lauch der Armut kaut,
  Ist wie für die Nacht gezeugt.

Horch hinaus in Nacht und Wind!
Wirre Schreie, hohle Stimmen.
Feuer in den Felsen glimmen.
In Fouday blickt starr das Kind.
Bei des Kienspans trübem Blaken
Und berauntem Zauberkraut
Liegt es auf dem Totenlaken.
Und du weißt es und dir graut.
Schmerz dröhnt auf und schwemmt vom Chore
Brennend in dein Wesen ein.
Von der ödesten Empore,
Dringend durch die dickste Mauer

– Gellend alle Pfeifen schrein –
Braust die Orgel Deiner Trauer.
Räudig Schaf, es hilft kein Beten!
Unter Tränen wirds dir sauer,
Doch du mußt die Bälge treten,
Daß es in den Pfeifen gellt –
 Lenz, dich friert an dieser Welt!
 Und du weißt es und dir graut.
 Gott hat dich zu arm bekleidet
 Mit der staubgebornen Haut.
 Und der Mensch am Menschen leidet.

PETER HUCHEL

Heinrich-Heine-Gedenk-Lied

Ting-tang-Tellerlein,
durch Schaden wird man schlau;
ich bin der Sohn des Huckebein
und Leda, seiner Frau.

Ich bin der Kohl- und bin der Kolk-,
der Rabe, schwarz wie Priem:
Ich liebe das gemeine Volk
und halte mich fern von ihm.

Hier hat der Himmel keine Freud,
die Freude hat kein Licht,
das Licht ist dreimal durchgeseiht,
eh man's veröffentlicht.

Was schafft ein einziges Vaterland
nur soviel Dunkelheit?!

Ich hüt mein' Kopf mit Denkproviant
für noch viel schlimmere Zeit.

Und geb mich wie ihr alle glaubt
auf dem Papier –:
als trüg ein aufgeklärtes Haupt
sich leichter hier.

PETER RÜHMKORF

Der Tod eines Zentauren
Nach Thornton Wilder

Als Shelley ertrank
war er von einem Gedicht erfüllt
das „Der Tod eines Zentauren" hätte heißen sollen.

Im Hafen von La Spezia
schliefen wie immer die Hunde
in den Segelschatten,
und die Seeleute rüsteten ihre Schiffe
zur Ausfahrt . . .

Sie alle sahen nicht,
wie jenes Gedicht
über dem Mittelmeer schwebte –
dann über Tirol nach Norden trieb,
wo Ibsen es einfing und niederschrieb:
Baumeister Solneß.

RAINER BRAMBACH

Chopin

Nicht sehr ergiebig im Gespräch,
Ansichten waren nicht seine Stärke,
Ansichten reden drum herum,
wenn Delacroix Theorien entwickelte,
wurde er unruhig, er seinerseits konnte
die Notturnos nicht begründen.

Schwacher Liebhaber;
Schatten in Nohant,
wo George Sands Kinder
keine erzieherischen Ratschläge
von ihm annahmen.

Brustkrank in jener Form
mit Blutungen und Narbenbildung,
die sich lange hinzieht;
stiller Tod
im Gegensatz zu einem
mit Schmerzparoxysmen
oder durch Gewehrsalven:
man rückte den Flügel (Erard) an die Tür
und Delphine Potocka
sang ihm in der letzten Stunde
ein Veilchenlied.

Nach England reiste er mit drei Flügeln:
Pleyel, Erard, Broadwood,
spielte für 20 Guineen abends
eine Viertelstunde
bei Rothschilds, Wellingtons, im Strafford House

und vor zahllosen Hosenbändern;
verdunkelt von Müdigkeit und Todesnähe
kehrte er heim
auf den Square d'Orléans.

Dann verbrennt er seine Skizzen
und Manuskripte,
nur keine Restbestände, Fragmente, Notizen,
diese verräterischen Einblicke –,
sagte zum Schluß:
„meine Versuche sind nach Maßgabe dessen vollendet,
was mir zu erreichen möglich war."

Spielen sollte jeder Finger
mit der seinem Bau entsprechenden Kraft
der vierte ist der schwächste
(nur siamesisch zum Mittelfinger).
Wenn er begann, lagen sie
auf e, fis, gis, h, c.

Wer je bestimmte Präludien
von ihm hörte,
sei es in Landhäusern oder
in einem Höhengelände
oder aus offenen Terrassentüren
beispielsweise aus einem Sanatorium,
wird es schwer vergessen.

Nie eine Oper komponiert,
keine Symphonie,
nur diese tragischen Progressionen
aus artistischer Überzeugung
und mit einer kleinen Hand.

GOTTFRIED BENN

Turin

„Ich laufe auf zerrissenen Sohlen",
schrieb dieses große Weltgenie
in seinem letzten Brief –, dann holen
sie ihn nach Jena –; Psychiatrie.

Ich kann mir keine Bücher kaufen,
ich sitze in den Librairien:
Notizen –, dann nach Aufschnitt laufen: –
das sind die Tage von Turin.

Indes Europas Edelfäule
an Pau, Bayreuth und Epsom sog,
umarmte er zwei Droschkengäule,
bis ihn sein Wirt nach Hause zog.

GOTTFRIED BENN

Emily Dickinson

Der Himmel war gläsern
und die Welt
so eng

alle Gartenwege
führten
bald wieder
ins Haus

da
war es dunkel
Plüsch
Langeweile

Kuchenbacken
Kuchenessen
weiter gab es nichts zu tun

und
was die Ewigkeit anbelangte
die Immortellen vorm Fenster
sie hießen nur so

HANS-JÜRGEN HEISE

Henri Rousseau

Schweigen zwischen den Bäumen.
Sei still, Rousseau erzählt ein Märchen von der Angst.
Die Sonne hat rote Augen im Laub.
Sei still, Rousseau erzählt eine Legende von der Liebe.

Die Jahrmarktsuhr hat zwölf geschlagen.
Bei wem schläft heut der Magier mit der weißen Stirne?
Frag doch Rousseau, er wird es dir erzählen.
Im Wüstensumpf, im Dschungelstaub,
bei seiner Braut, dem Berbermädchen,
die mit der Wange schwarz am Pfahl verschmachtet:
dort schläft er mit der Windschalmei.

Er kannte nicht die Qual der toten Herzen.
Doch dann kam Orpheus.
Der Löwe Orpheus kam zu seinem Berbermädchen,
der Angst der Braut mit seinen Pfoten wehrend.

Die Leinwand steht in feuchter Herbsttagssonne.
Sie duftet so voll Löwenlust und Berbermädchentreue.

Der Maler wußte nicht, daß Orpheus kam
und seine Farben sang.

Im Raubtierantlitz, seinem roten Rachen,
wähnt er sich sonntags Herr der fernen Steppe.
Er legt die Hände auf sein Samtjackett,
in dem die böse Zeit den Januskopf versteckt.
„Die *böse* Zeit?" fragst du.
Er hat die *gute* Zeit befragt.
Sei still, Rousseau erzählt von ihr.

PETER JOKOSTRA

Heym

1

Ein heiserer Vogel
krächzt von der Tribüne,
flügelschlagend,
Rost in der Stimme,
eisig.

2

Seine Langeweile: tödlich.
Nachts: Jakobinermützen
zucken im Weinnebel,
Kokarden, Salven –
seine Verse, feindselig
rauchend, schlagen auf
wie Stiefeleisen,
die er hassen müßte.

3

Keine Legendenfigur,
nicht einmal
im Haveleis
unter grauen Korallen,
neben Ophelia.

4

Ein Lachen
streckt seine scharfe Zunge
aus dem Gesicht.

Hekuba wird tanzen
mit störrischen Knien,
die Alte, am lockeren Seil
seines Lachens

(dort trommelt der Neger,
der Schwarze, er glüht
in den Firsten, er trommelt,
der hockende Gott,
der Städter, er spreizt
seine Beine, er säuft
seine Kannen, er trommelt,
er singt) und Monde
fallen schwefellaut.

5

. . . ewig verliebt, Mädchennamen in den
Tagebüchern aufgereiht wie in einem

Firmenkatalog, fünfzig Emmas, Idas,
Hildes, lächerlich, leicht besoffen,
offensichtlich Schwärmer, daneben
allerdings die käuflichen Damen, die
gebraucht werden wie Taschentücher;
Beamtenanwärter, bettelt glatzköpfigen
Amtmann um ein paar Wochen Urlaub,
Fackeln im Hirn, was nicht zählt im
Apparat, schreibt, geht auf Bälle, fährt
in Kutschen, läuft Eis, ekelt sich
vor dem Vater, schreibt, macht Honneurs,
kegelt, trinkt Bier, hat die Schultern
eines Boxers, schreibt, sorgt für seinen
Nachruhm . . .

6

Die Leiche wird
zwecks Identifizierung
in der Morgue ausgestellt:
in einen grünen Eisblock gekrümmt,
Eis im beleidigten Mund,
Eis in den Augen,
Eis in den Lungen –

keineswegs bereit zu sterben
obwohl der Tod
oder was man so nennt
nicht unverhofft kam:

eine grüne Blume.

WOLFGANG HÄDECKE

Totenlied für Klabund

An Deine Bahre treten,
Klabund, in langer Reih,
Die Narren und Propheten,
Die Tiere und Poeten,
Und ich bin auch dabei.

Es kommen die Hamburger Mädchen
Samt Neger und Matros,
Wo werden sie jetzt ihre Pfundstück
Und all die Sorgen los?

Es kommen die englischen Fräuleins,
Wie Morcheln, ohne Kinn,
Wo sollen denn die Armen jetzt
Mit ihrer Unschuld hin?

Es kommt am Humpelstocke
Der Leierkastenmann
Und fängt aus tiefster Orgelbrust
Wie ein Hund zu heulen an.

Es kommt der Wilhelm Fränger,
Die Laute in der Hand,
Aus seinen Zirkusaugen rinnt
Statt Tränen blutiger Sand.

Es kommen alle Vögel
Und zwitschern ohne Ruh,
Sie decken Dich wie junge Brut
Mit flaumigen Federn zu.

Es kommt ein Handwerksbursche
mit rotem Augenlid,
Der kritzelt auf ein Telegramm-Formular
Dein schönstes Liebeslied.

Es kommt auf Beinen wie ein Reh
Ein dünner grauer Mann,
Der stellt die Himmelsleiter
Zu Deinen Füßen an.

CARL ZUCKMAYER

Vom armen B. B.

Ich, Bertolt Brecht, bin aus den schwarzen Wäldern.
Meine Mutter trug mich in die Städte hinein
Als ich in ihrem Leibe lag. Und die Kälte der Wälder
Wird in mir bis zu meinem Absterben sein.

In der Asphaltstadt bin ich daheim. Von allem Anfang
Versehen mit jedem Sterbsakrament:
Mit Zeitungen. Und Tabak. Und Branntwein.
Mißtrauisch und faul und zufrieden am End.

Ich bin zu den Leuten freundlich. Ich setze
Einen steifen Hut auf nach ihrem Brauch.
Ich sage: Es sind ganz besonders riechende Tiere
Und ich sage: Es macht nichts, ich bin es auch.

In meine leeren Schaukelstühle vormittags
Setze ich mir mitunter ein paar Frauen
Und ich betrachte sie sorglos und sage ihnen:
In mir habt ihr einen, auf den könnt ihr nicht bauen.

Gegen Abend versammle ich um mich Männer
Wir reden uns da mit „Gentlemen" an.
Sie haben ihre Füße auf meinen Tischen
Und sagen: Es wird besser mit uns. Und ich frage nicht:
Wann?

Gegen Morgen in der grauen Frühe pissen die Tannen
Und ihr Ungeziefer, die Vögel, fängt an zu schrein.
Um die Stunde trink ich mein Glas in der Stadt aus und
schmeiße
Den Tabakstummel weg und schlafe beunruhigt ein.

Wir sind gesessen, ein leichtes Geschlechte
In Häusern, die für unzerstörbare galten
(So haben wir gebaut die langen Gehäuse des Eilands
Manhattan
Und die dünnen Antennen, die das Atlantische Meer
unterhalten).

Von diesen Städten wird bleiben: der durch sie hindurch-
ging, der Wind!
Fröhlich machet das Haus den Esser: er leert es.
Wir wissen, daß wir Vorläufige sind
Und nach uns wird kommen: nichts Nennenswertes.

Bei den Erdbeben, die kommen werden, werde ich hoffentlich
Meine Virginia nicht ausgehen lassen durch Bitterkeit
Ich, Bertolt Brecht, in die Asphaltstädte verschlagen
Aus den schwarzen Wäldern in meiner Mutter in früher Zeit.

BERTOLT BRECHT

Cesare Pavese

Er arbeitete, erschöpft,
hinter dem Gitter,
das die Dämmerung niederließ.

Er beobachtete das Welken von Zinnien
in einem Glas.

Gern lebte sein Gesicht
in der Kindheit.

Von Zeit zu Zeit
überraschte ihn diese Lähmung
(als brenne nach Stunden
zuverlässigen Lichts
eine Sicherung durch).

WALTER HELMUT FRITZ

Albert Camus zum Gedenken

Er konnte sich vergnügen
wie ein Kind,
sagte der Patron eines Cafés.

Nach einem Autounfall
verließ er die Erde,
müde und horchend.

Die Stille in dem Schulsaal
nahm zu, in dem man ihn aufbahrte
die erste Nacht.

Das ganze Dorf war versammelt,
als man ihn begrub.
Es regnete an dem Tag.

WALTER HELMUT FRITZ

ORT ZU ORT

Moselwanderung

1. Fischer in Moselkern

Die Fischer in Moselkern
Warfen ihr Netz aus
Und zogen es triefend, leer
Aus der Mosel herauf.

Im Grase lag ich und sah,
Wie das Netz stieg und fiel.
Stangenstich, Ruderschlag,
Uraltes Spiel.

Jeder Griff, jeder Schlag
Alt wie die Fischerzunft.
Jeder Zug mit dem Netz
Wiederkunft, Wiederkunft.

2. Bernkastel

Bei Trarbach stiegen wir
Die Moselhöhen hinauf
Und gingen durch Wald und Feld
Über dem Mosellauf.

Ein Oktobertag. In der Frühe zog
Der Nebel dicht.
In der Flußschleife lag
Blauer Dunst, blaues Licht.

Bei Bernkastel stiegen wir
Den Weinberg ab,

In die Schieferdachstadt
Zur Mosel hinab.

Vom steilen Hang
Fließt der Bernkasteler Wein
Über Mauer und Weg
In die Stadt hinein.

Rebe, Trester und Most,
Die Luft gärt,
Wenn der Moselwind
Das Tal durchfährt.

Das Küfervolk kratzt,
Hämmert und klopft.
Der Keller kühlt,
Das Kelterhaus tropft.

Das Fuderfaß kracht.
Die Flasche klirrt und klirrt.
Zum Bocksgesang
Hüpft Winzer und Wirt.

Mir scheint, die Stadt
Ist aus Holz und Glas.
Sie tönt wie ein altes
Moselfaß.

3. Spital in Kues

In Kues, ich sah im Spital
In den Kreuzgang hinein.

Drei alte Männer standen da
Und sprachen vom Wein.

Gnomenvolk, werkzeugskrumm.
Unrasiert, stoppelweiß.
Köpfe aus Rebwurzelholz,
Rot und heiß.

Uraltes Winzervolk,
Das sich bückt und bückt,
Bis es Abschied nimmt und Spaten und Karst
In neue Hände drückt.

Mittags, wenn lautlos, leer
Der Weinberg schweigt,
Hörst du, wer unsichtbar
Die Treppen ersteigt?

5. *Brauneberg*

Der Fährmann fuhr uns über den Strom.
Der Weinberg sah in den Fluß hinein.
Schräg kam das Licht.
Im Fluß lag der grüne Widerschein.

Die Rebe spiegelte in der Flut.
Der Fluß war grün wie ein grüner Stein.
In der lautlosen Flut
Stand grün der Wein, ein Berg von Wein.

FRIEDRICH GEORG JÜNGER

Ein altes Wirtshaus voller Federn

Dort legt der Sommer schwer sein Haupt aufs Dach,
mürb sind die Mauern, nur die Taubenuhr
gurrt immerzu durchs stille Traumgehäuse.
Aus Vogelwolken taumelt Sommerschnee
und häuft den Jahren sanft auf Sims und Giebel
die grauen Nester für den goldnen Schlaf.

CHRISTINE BUSTA

Goslar

Durch die Wolken fällt hell
Auf die Stadt ein Geleucht.
Der Dachschiefer glänzt,
Silbergrau, feucht.

Im Lichte scheint
Die Stadt alt, uralt.
Die Kaiserpfalz
Kam aus dem Wald.

Älter noch, älter
Als die alte Stadt
Ist des Fingerhuts
Vergängliches Blatt.

Wohin fielen nur
Krone, Apfel und Schwert?
Zurück in den grünen
Harzfinkenherd.

FRIEDRICH GEORG JÜNGER

Das weiße Wirtshaus

Vom Fluß, der unten schnalzt, hat man den Sand,
Den Ahorntisch, die Bänke weiß zu reiben.
Der Tisch steht fest. Hier magst du gerne bleiben,
Vor dem Sankt Georg an der weißen Wand.

Sie ist gekalkt, ist weiß wie Eierschalen.
Es riecht so reinlich und es wird dir wohl.
Der Wein ist gut. Das ist kein Grund zu prahlen –
Er wächst hier nicht, er kommt aus Südtirol.

Das Tal ist grün. Der Berg ist weiß beschneit.
Kann sein, der sieht nach Südtirol hinein.
Das ist voll Wein und Laub und Üppigkeit.

Hier drängt aus jedem Grünen noch der Stein.
Mit Kieseln schiebt und reibt der Fluß: das Leiern
Tönt schwach herauf zu uns. Wir sind in Baiern.

GEORG BRITTING

Herrenchiemsee

All ihr herbstlich Fliegenden
Vogelwind, Vogelblätter –
Weinlese ist gehalten,
in den Bergen fällt Schnee.

Ludwig wollte nicht, daß man ihn essen sah.
Zu unsichtbaren Kerkern gerinnt der Föhn,
wie leicht aber erklärte sich alles
aus den Wirbeln des fallenden Eschenblatts!

Vom Wald her beginnt der Regen,
der zur Tafel des Königs kommt,
vom Rohr her die Glocke der weidenden Kühe,
daß er die Ohren mit Wachs verstopft.
Hinter den Schlüssellöchern lachen die Diener.

All ihr herbstlich Fliegenden,
schwarze Blätter zur Dämmerung,
wenn die ersten Fenster hell werden

mit verzweifeltem Licht,
wenn ich mein Kind lachen höre
und die Augen hinter den Händen verberge.

GÜNTER EICH

Salzburg

Malvenfarbene Stadt,
Von blauen Floren behaucht,
Nachts in das chemische Bad
Aus Silber und Schwärze getaucht:

Seltsames Negativ,
Das ihrer Pracht entspricht
Wie des Traumes lotendes Tief
Dem klaren Gedanken im Licht.

Oft auch ist sie bespült
Von Regen, ganz grau und blind,
Als hätte sie nie gefühlt
Die Dichter, die in ihr sind.

ODA SCHAEFER

Erste Italienfahrt

Und als der Zug übern Brenner fuhr,
Wurde der Himmel hell,
Die Wolken weniger, kleiner, und nur
Eine beharrliche flog mit uns schnell.

Bei Verona zerging auch sie,
Und der Himmel war blau und allein.
Bis zum Brenner sah man viel scheckiges Vieh,
Dann nicht mehr, dann nur mehr Wein.

Die Häuser sahen wie Würfel aus
Und hatten ein flaches Dach.
Und kein Wind ging. Der ging wohl in nordischen Wäldern
mit Braus,
Nur Weizen wogte hier schwach.

Florenz war schön und war alt wie Stein
Und hatte ein strenges Gesicht,
Der Arno war stumpf wie ein Sumpf und kein
Mondstrahl brachte ihm Licht.

Der Mond, der war wohl im Norden, rot
Und gelb über Wiesen und Rohr.
Hier in der Schenke bei Wein und Brot
Scholls fremd an unser Ohr.

Wir saßen verlorn wie im Käs der Wurm,
Der Arno dunkelte, schwieg,
Bis der Morgen kam, bis der steinerne Turm
In den grünen Himmel stieg.

Da trugen die Morgenhügel
Toskanas Zypressen schmal,
Und ein Raubvogel, ernst, ohne Flügel
Zu rühren, hing über dem Tal.

GEORG BRITTING

Italienreise

Als ich, gefesselt auf einem Wagen liegend,
vor die Stadt Neapel kam,
rief mir ein Herr in weißem Leinen und Strohhut,
und mit ringgeschmückter Hand auf Türme zeigend,
die zum feuerspeienden Gipfel ragten,
schrie er: Dort ist Leopardi gestorben!

MICHAEL GUTTENBRUNNER

Bei den Tempeln von Paestum

Hier läßt sichs atmen. Und hier stirbt sichs leicht.
Die weißen Ochsen tragen ihr Gehörn.
Der Falke jagt im dunklen Himmel.
Die Tempel stehen still erhaben da.

Es blüht der Löwenzahn, grad wie bei uns,
Mit goldner Farbe und in großer Zahl.
Die Götter mögen auch den Löwenzahn.
In Bayern steht er so auf jeder Wiese.

Mein Schatten wirft sich schwarz.
Und Schatten, Himmel und der Löwenzahn
Sind wie bei uns.

Die Tempel sind mir gar nicht fremd.
Sie stehen still erhaben da.
Hier läßt sichs atmen,
Und hier stirbt sichs leicht –
So denkt das Herz,
Und hört der Säulen weißes Wort
Im leichten Wind
Wie Zitherspiel am Tegernsee.

GEORG BRITTING

Piazza Bologna

Sieben Schreibmaschinen schreiben
Auf dem mittagstillen Postamt
Leeren Fingers, manchmal klingelnd
Rebenzeilen
Rosenzeilen
Allen zugedacht von allen
Keinem zugedacht von keinem
Sieben leere Schreibmaschinen
Auf dem mittagstillen Postamt
Schreiben die versäumte Liebe.

MARIELUISE KASCHNITZ

Miracula Sti. Marci III
Der verlorene Leichnam

Die Lagune stinkt.
Jeder Wellenschlag schwemmt
Kot an die Stufen von Santa Maria della Salute.

Die alte Frau im Motorboot hält sich
die Nase zu. Aber sie freut sich, daß die Paläste
einzustürzen beginnen.
So wird man den Leib des heiligen Markus
vielleicht wieder finden.
Die Kanoniker, die ihn bewahrten,
sind alle gestorben. Man hatte
kein Geld für neue, denen
sie ihr Geheimnis hätten weitergegeben.

Die Arbeitslosen auf den zerbröckelnden Brücken
wagen einander nicht anzusehen und angeln
Konservenbüchsen. Viele
gibt es von damals, als noch die Fremden
herkamen. Inzwischen freilich
ging der Leib des heiligen Markus verloren. Und jeder
fürchtet den Tod in der Jauche, die schon
allmählich erstarrt. Die Lagune
stinkt.

KUNO RAEBER

Genazzano

Genazzano am Abend
Winterlich
Gläsernes Klappern
Der Eselshufe
Steilauf die Bergstadt.
Hier stand ich am Brunnen
Hier wusch ich mein Brauthemd
Hier wusch ich mein Totenhemd.
Mein Gesicht lag weiß

Im schwarzen Wasser
Im wehenden Laub der Platanen.
Meine Hände waren
Zwei Klumpen Eis
Fünf Zapfen an jeder
Die klirrten.

MARIELUISE KASCHNITZ

Die Tauben von Acicastello

Sizilien

Sie hielten schon Haus hier,
Als die Normannen gekommen –
Und sie sind noch immer hier
Und sie nisten
An der Basaltbrust
Des Meers
Und plustern sich wichtig,
Wie die Höflinge
Im Gefolge des großen Roger.
Nicht die Jahrhunderte haben
Das Kastell durchlöchert,
Seine Tücke mit Schorf getüncht,
Die Kanonen stummgemacht –
Die weißen, die samtpfotigen haben
Das stiernackige
Mürbegemacht.
Und vom großen Roger
Ist geblieben
Eine Taubenfeder –
Und ein Reich,

Das im Traum
Der staubbärtigen Alten
Vor der Trattoria
Noch immer
Bis an die Sterne greift –
Geblieben sind
PALUMNE E LUNA PIENA.

ERNST GÜNTHER BLEISCH

Van Goghs Haus in Arles

Weder Glück noch Wiederkehr.
Im Museum seine Stühle;
Denn das kleine gelbe kühle
Haus des Vincent ist nicht mehr.

Und die Straße, wos gewesen,
Heißt heut Rue de Stalingrad.
Hier noch findet ein Soldat
Frauen, blaß und auserlesen.

Männer, die zur Rhône schlendern;
Ein Granit ehrt Lamartine;
Zu Clairon und Violin
Tanzt man unter Flaggenbändern.

Spät erst leert sich der Boulevard.
Vincent ist verscheucht für immer,
Dem die rauhe Stadt der Trümmer
Eine blaue Iris war.

GEORG VON DER VRING

Antibes

War ich einst in Antibes?
Das Meer liebkost die Tür,
Und Feigen modelliert
Das Licht der Côte d'Azur.

Für seinen Marktplatz kocht
Pfirsich und Pflaume gar.
In ihre Säfte taucht
Den Pinsel Renoir.

Wo Fisch und Wein mich laden,
Snackbars der Colonnaden,
Plakate durcheinander
Zu milkshake, thé portable –
Blüht immer Oleander,
Spricht immer alte Fabel.

Der Hof des Schlosses schatzt
Gestürzte Architrave;
Aus heißem Felsen steigt
Aloe und Agave.

Das Schloß Grimaldi stürmt
Nicht mehr der Sarazene,
An seine Wände hängt
Picasso heitre Scene:

Die Linien ziehen nach
Der Syrinx lange Töne,

Den Gott mit dem Trident,
Die hingestreckte Schöne.

In seine Kacheln brennt
Languste er und Hummer;
Die Nymphe melkt die Geiß,
Sie drückt kein Liebeskummer.

Turmschwalbe ruft herein,
Unbändig laute, schrille.
Zu Vers gewandelt, Bild und Stein,
Antwortet ihr die Stille.

WILHELM LEHMANN

Erinnerung an Frankreich

Du denk mit mir: der Himmel von Paris, die große Herbst-
zeitlose . . .
Wir kauften Herzen bei den Blumenmädchen:
sie waren blau und blühten auf im Wasser.
Es fing zu regnen an in unserer Stube,
und unser Nachbar kam, Monsieur Le Songe, ein hager
Männlein.
Wir spielten Karten, ich verlor die Augensterne;
du liehst dein Haar mir, ich verlors, er schlug uns nieder.
Er trat zur Tür hinaus, der Regen folgt' ihm.
Wir waren tot und konnten atmen.

PAUL CELAN

Erratischer Block
Normannische Küste

Hier sind die Wiesen noch nicht vernarbt,
hier stürzen noch Rinder und Lämmer
in tückisch verwachsene Schützengräben
und Panzerfallen. Die Marder
lauern in Deckungslöchern.
Über die Reste gesprengter Bunker
ziehen Ameisenheere.
Wilde Karnickel hausen darunter
und manchmal schnüren Füchse vorbei.

Zwei Bombentrichter stehen voll Wasser.
Die Rinder und Lämmer versuchen seit Jahren
sie leerzuschlürfen,
und die Raben trinken darin.
Es gelingt ihnen nicht.
Die aufgerissenen Augen der Erde
schließen sich nur im Winter.

Die Holzkreuze drüben sind ohne Namen,
das größte umflicht eine Stacheldrahtkrone.
Weißdorn und Rotdorn
säumen die Schädelstätte,
im Westen ein Eichenwald,
der den Küstenwind abfängt,
den Sand und den Blitz.
Nur das Donnern der Brandung
durchdringt ihn.
Das Meer, das unsichtbare,
ist immer da
wie das Licht und die Nacht.

In der Waldschneise liegt
ein erratischer Block.
Ein Findling, ein Hünengrab,
ein keltischer Opferstein?
Zwei Raubvogelkrallen sind eingraviert,
Haarsterne, ein Bischofspfennig,
darunter der Abdruck von Muscheln.
Ein Epitaph in chinesischer Schrift?
Peripherisch Moos,
das sich niederläßt,
weitertastet zur Vogelkralle,
festhängt, über die Risse schleicht,
die Muscheln bedeckt,
den Stein erobern will.
Es gelingt ihm nicht.

WOLFGANG BÄCHLER

Normandie

Die Bunker am Strand
können ihren Beton nicht loswerden.
Manchmal kommt ein halbtoter General
und streichelt Schießscharten.
Oder es wohnen Touristen
für fünf verquälte Minuten –
Wind, Sand, Papier und Urin:
Immer ist Invasion.

GÜNTER GRASS

Flandrischer Sonntag

Der Regen roch nach Salz und brauner Butter,
es zischelten die Pfannen und das Meer;
wie eine windgesträubte Vogelmutter
bog Flandern mir den grünen Fittich her.

Im Licht der Wipfel leicht und kühl geborgen
lief ich als Fremde ohne Herd und Haus
und sang mit allen Glocken in den Morgen
den feuchten Himmel meiner Liebe aus.

CHRISTINE BUSTA

Schwarz und Weiß

Noord-Holland

Wie Tiere aus nächtlichen Welten,
schwarzbäuchig und weiß gefleckt,
sind Kühe unter den Zelten
der Wolken ins Grün gestreckt.

Schwärme von Möwen und Krähen
kreuzen sich diagonal.
Westliche Winde blähen
die Segel auf dem Kanal.

Mit Dünensand überwehen
sie Gräber der Widerstandszeit.
Die Flügel der Mühlen drehen
den Staub durch die Ewigkeit.

WOLFGANG BÄCHLER

Vergessene Stadt

Plötzlich klatschen die Hufe der Pferde
auf den Vierkantbasalt:
Linnich!
Dunkelheit in der ledernen Kutsche,
wie eine kalte Brise
zwischen den hohen Häusern
französisch strengen Profils.
Eine Stimme gelb, fast schwarz,
Rosinenrauch . . .
Um abendflinke Augen Lichter; Musik
über rörkalte Wasser.

Welch eine Stadt:
Pelzer, Mergelsberg, Leufen, die Post,
Merkens: Sekt, Pferde, Messinggeschirr,
schwarze Hufwichse; Maischdunst
aus Kellers Brauerei und jetzt auch
der Mahagoniduft aus den hohen Sälen
der Glasmalerei.

Im Postamt
zwischen brauner Wände Rauch
sitzt ein Herr wie in einem Beichtstuhl
hinter einem korbverflochtenen Schalter,
als könne man hier die braune Briefmarke
aus Britisch-Neuguinea kaufen.
Hier im Postamt übernachtet auch
der weiße Engel.
Die Seele der Linnicher Pfeifchenraucher
schläft dort in einem alten Pappkarton.

Welch wunderbare Stadt.

Die elektrischen Birnen
über der dunklen Straße
haben sich soeben entzündet.
Wachend sitzen Männer und Frauen
in den offenen Türen.
Von der unteren Straße her
der Atem der Rör
wie seidene Fahnen aus Frankreich.
Sommerschwärme rötlichen Phlox'
durchziehen die Rurdorfer Straße
und wollen die Treppe hinauf.

Die Mutter legt
das gefärbte Haar zur Seite.
Das schwache Sirren der Zentrifuge –
wir schlafen.

Jetzt:
Aus den Fluten der Rör steigt
wie ein Denkmal der Hengst, gewaltig
dehnend den Brustkorb, die Nüstern.
Mondperlen rollen über sein schwarzes Fell,
als habe er sich die Blechplatten
vom Puschkin-Denkmal geholt.

Zwei Mädchen liegen im Fenster,
bleich, mit spitzer Nase und gelbem Haar.
Weiz' Mühle steht offen.
Aus den Gitterkästen fällt das Mehl
in die Schüttelmaschen der Nacht,

gespenstig, totenhaft,
von Mehlfrauen gelenkt.

Eisennaß fliegt das Schwungrad
vom alten Elektrizitätswerk
über die Brücke:
zu speisen die Lampe im Büro.
Und immer die Mädchen im Fenster,
versteint im Traum.
Oh, Anmut des Sommers im Mörtelhaar.
Das lehmige Wasser atmet, drängt,
hinweg über die Gerberei.
In den schwarzgestrichenen Tonpfeifen
an allen Türpfosten
orgelt die Nacht.

ERICH JANSEN

Wagenfahrt

Schöner Mond von Mariampol! Auf deinem
strohernen Rand, mein Städtchen,
hinter den Buden
kommt er herauf,
schwer, und hängt ein wenig
nach unten durch. So geht der
Pferdehändler, er kauft
seiner Mutter ein Fransentuch.

Abends
spät
sangen die beiden. Wir fuhren

über den Fluß nach Haus,
an der Fähre mit Ruf und Zuruf
ging Gerede wie Wasser
leicht – und wir hörten ihn lang
über der Stadt,
droben in Türmen, hörten
den jüdischen Mond. Der ist
wie im Gartenwinkel das kleine
Kraut aus Tränen und Küssen,
Raute, unsere Mädchen
brechen es ab.

– – –

Joneleit, komm, verlier dein
Tuch nicht. Die Alten schlafen.
Ausgesungen wieder
ist eine Nacht.

JOHANNES BOBROWSKI

Schlucht bei Baltschik

Am Abend hängt der Mond
Hoch in die Pappel
Das silberne Zaumzeug der Zigeuner.
Er gräbt es aus,
Wo unter Steinen
Pferdeschädel
Und Trensen schimmern.

Eine Greisin,
Die Stirn tätowiert,

Geht durch die Schlucht,
Am hanfenen Halfter
Ein Fohlen.
Sie blickt hinauf
Ins alte Zigeunersilber
Der Pappel.

Nachts hebt sie aus dem Feuer
Ein glimmendes Scheit.
Sie wirbelt es über den Kopf,
Sie schreit und schleudert
Ins Dunkel der Toten
Den rauchenden Brand.

Die Pappel steht fahl.
Die Schildkröte trägt
Mit sichelndem Gang
Den Tau in den Mais.

PETER HUCHEL

Der Große Lübbe-See

Kraniche, Vogelzüge,
deren ich mich entsinne,
das Gerüst des trigonometrischen Punkts.

Hier fiel es mich an,
vor der dunklen Wand des hügeligen Gegenufers,
der Beginn der Einsamkeit,
ein Lidschlag, ein Auge,
das man ein zweites Mal nicht ertrüge,

das Taubenauge mit sanftem Vorwurf,
als das Messer die Halsader durchschnitt,
der Beginn der Einsamkeit,
hier ohne Boote und Brücken,
das Schilf der Verzweiflung,
der trigonometrische Punkt,
Abmessung im Nichts,
während die Vogelzüge sich entfalten,
Septembertag ohne Wind,
güldene Heiterkeit, die davonfliegt,
auf Kranichflügeln, spurlos.

GÜNTER EICH

ATEMHOLEN

Der Zauberer im Frühling

Der in der Weidenhöhle wohnt,
er schreitet im Nachmittagsmond,
wenn leis die Flußmusik ertönt
und den verschilften Weg verschönt.

Er schleift im Kreis den langen Rock,
die Hand am krummen Wurzelstock,
und wippt und wirft vom weidnen Ast
die zeisiggrüne Vogellast.

Wie Hagel durch die Hecken klirrt,
von blitzenden Libelln umschwirrt,
steigt er durch Lattich und Geäst,
die Enten jagend aus dem Nest!

Den Stock stößt er ins Muschelweiß,
die Unke ruft im Wasserkreis.
Die Fische ziehn um seine Hand,
löst er die Algen aus dem Sand.

Er bläst auf Gras, sein Lockruf schnalzt,
im Rohr die Bekassine balzt.
Er hebt die Trommel aus dem Arm
und paukt empor den Vogelschwarm.

Die Schritte tönen grillenlaut,
und wiesenblütig raucht das Kraut,
die Mückenwolke summt am Hang,
wiegt er sich im Windzaubergang.

Um totes Holz geht er und pocht,
die Grube alter Früchte kocht.
Die Wespen singen drüber wild,
bis Harz und Honig süßer quillt.

Er teilt das Schilf, das Zittergras
und schwingt den Mond, die Sichel blaß,
und schlägt die Flamme der Salbei
blau brennend in den Kuckucksschrei!

Zerstöbert weht das Blätterdach.
Die grüne Echse raschelt nach.
Ins Weidicht steigt er, wo er haust,
laut paukend, daß der Wind erbraust.

PETER HUCHEL

Vom Schwimmen in Seen und Flüssen

Im bleichen Sommer, wenn die Winde oben
Nur in dem Laub der großen Bäume sausen
Muß man in Flüssen liegen oder Teichen
Wie die Gewächse, worin Hechte hausen.
Der Leib wird leicht im Wasser. Wenn der Arm
Leicht aus dem Wasser in den Himmel fällt
Wiegt ihn der kleine Wind vergessen
Weil er ihn wohl für braunes Astwerk hält.

Der Himmel bietet mittags große Stille.
Man macht die Augen zu, wenn Schwalben kommen.
Der Schlamm ist warm. Wenn kühle Blasen quellen
Weiß man: ein Fisch ist jetzt durch uns geschwommen.

Mein Leib, die Schenkel und der stille Arm
Wir liegen still im Wasser, ganz geeint
Nur wenn die kühlen Fische durch uns schwimmen
Fühl ich, daß Sonne überm Tümpel scheint.

Wenn man am Abend von dem langen Liegen
Sehr faul wird, so, daß alle Glieder beißen
Muß man das alles, ohne Rücksicht, klatschend
In blaue Flüsse schmeißen, die sehr reißen.
Am besten ist's, man hält's bis Abend aus.
Weil dann der bleiche Haifischhimmel kommt
Bös und gefräßig über Fluß und Sträuchern
Und alle Dinge sind, wie's ihnen frommt.

Natürlich muß man auf dem Rücken liegen
So wie gewöhnlich. Und sich treiben lassen.
Man muß nicht schwimmen, nein, nur so tun, als
Gehöre man einfach zu Schottermassen.
Man soll den Himmel anschaun und so tun
Als ob einen ein Weib trägt, und es stimmt.
Ganz ohne großen Umtrieb, wie der liebe Gott tut
Wenn er am Abend noch in seinen Flüssen schwimmt.

BERTOLT BRECHT

Schlaf der Tauben

Streute wer so Körner hin,
Nahmen Tauben dies und das.

Als die Sonne wiederum schien,
Ruhten perlgrau sie im Gras,

Spreizten schlummernd überm Grün
Ihre Flügel – doch für was? –

Taubenschlaf ist wie ein Fliehn
Abwärts durch ein Meer von Gras.

GEORG VON DER VRING

Ein Uhr mittags

Das Licht fällt nicht umsonst
Senkrecht.
Wer die Augen schließt,
Sieht blaue Sensen am Himmel.
Ein Uhr mittags. Die Blumen
Hängen mit gebrochenem Genick
In der Windstille.
Aus dem Steinbruch kommen Pfiffe.
Sie gelten einer Flasche Bier
Oder einem Hund, der sich verlief.
In den Heuschobern
Rascheln Mäuse
Und weibliche Schenkel.
Handbreiter Schatten
Verschwindet gleichzeitig
Mit dem letzten Laut,
Der zu hören ist.

KARL KROLOW

Spätsommer

Kein Früchtegott
Sieht dem Staubbad der Hühner zu.
Aus den Blätterscheiden
Duftet schweigsames Leben
Und schließt die Schnäbel der Vögel.
Noch ist Sommer mit dem Licht
Des rieselnden Häcksels.

Die grüne Braue der Landschaft
Wird dünn.
Männer mit ruhigen Gesichtern
Gehen einer Windmühle entgegen,
Die mit dem Horizont flüstert.
Ihr Gespräch wird
Vom September belauscht,
Der den Heupferden
Ihre Verstecke nimmt
Und der Luft Sichelhiebe zufügt.

Die Erde hält still.
Sie will überleben.

KARL KROLOW

Atemholen

Der Duft des zweiten Heus schwebt auf dem Wege,
Es ist August. Kein Wolkenzug.
Kein grober Wind ist auf den Gängen rege,
Nur Distelsame wiegt ihm leicht genug.

Der Krieg der Welt ist hier verklungene Geschichte,
Ein Spiel der Schmetterlinge, weilt die Zeit.
Mozart hat komponiert, und Shakespeare schrieb Gedichte,
So sei zu hören sie bereit.

Ein Apfel fällt. Die Kühe rupfen.
Im Heckenausschnitt blaut das Meer.
Die Zither hör ich Don Giovanni zupfen,
Bassanio rudert Portia von Belmont her.

Auch die Empörten lassen sich erbitten,
Auch Timon von Athen und König Lear.
Vor dem Vergessen schützt sie, was sie litten.
Sie sprechen schon. Sie setzen sich zu dir.

Die Zeit steht still. Die Zirkelschnecke bändert
Ihr Haus. Kordelias leises Lachen hallt
Durch die Jahrhunderte. Es hat sich nicht geändert.
Jung bin mit ihr ich, mit dem König alt.

WILHELM LEHMANN

Auffliegende Schwäne

Noch ist es dunkel, im Erlenkreis,
Die Flughaut nasser Nebel
Streift dein Kinn. Und in den See hinab,
Klaftertief,
Hängt schwer der Schatten.

Ein jähes Weiß,
Mit Füßen und Flügeln das Wasser peitschend,

Facht an den Wind. Sie fliegen auf,
Die winterbösen Majestäten.
Es pfeift metallen.
Duck dich ins Röhricht.
Schneidende Degen
Sind ihre Federn.

PETER HUCHEL

Herbstmorgen im Gebirge

Kühe auf den grünen Wiesen
Und ein schwarzes Schindeldach,
Und das Wasser plätschert schwach
In den Trog durchs Brunnenrohr.

Mächtig steigt der Berg empor,
Wo im Wald die Hirsche gehen,
Sanfte Riesen,
Sorgsam, um nicht anzustoßen
Mit dem großen
Schön verästelten Geweih,
Wo der Fuchs, der rote Schuft,
Federn um sein Räubermaul
Und den Bart mit Blut verklebt,
Wie er muß sein Leben lebt.

Friedlich unten glänzt der Rasen,
Und die frommen Kühe blasen
Weiß den Atem in die Luft.

GEORG BRITTING

Der Herbst

Nun rötet sich die braune Mauer,
die rauschend sinkt, vom Wind gestürzt,
die Frauen gehn im Blätterschauer
mit Stangen, Kiepen, schwer umschürzt.
Im dunklen Glaste brennt die Stunde,
wenn sie versengt vom Himmel ruhn,
die Haare feucht, am Mittagsgrunde
auf apfelduftendem Kattun.

Ein Karren fährt mit hohen Brettern
und dampft von nassem Humus schwarz,
und flimmernd weht ein Rauch von Blättern,
ein falber Brand aus Gras und Harz.
Es klirrn die Eisen nicht der Gäule,
sinkt weich der Huf ins gilbe Kraut,
sie blitzen in des Laubes Fäule,
die Sonnenhufe ohne Laut.

O Rost des Sommers, heiße Darren,
die Wucht der Körbe schwankt im Raum;
die Zacken nackt, wie schwarze Sparren,
steht kahl gestürzt schon mancher Baum;
der zeigt ein Nest, der eine Mistel,
die schweflig aus dem Himmel hängt
und wie am Stein die dürre Distel
von milden Flammen ist gesenkt.

Die Luft nur schallt, die Stare zanken,
wo über den geteerten Zaun
von Nesseln noch, von Feuerranken

weht das zigeunerische Braun.
Die schwarzen Vögel picken, lärmen
und ziehen in den Äther ein
und brausen wieder an in Schwärmen,
wo aus den Hügeln sprüht der Wein.

Dies ist der Herbst, die braune Mauer,
die rauschend fällt, von Beeren naß,
die Stange sinkt im Blätterschauer,
es ruht der Mensch bei Baum und Gras.
Und seine Seele wohnt im Feuer,
das noch den Staub verwandelnd preist,
süß zündend steigt und am Gemäuer
die Erde aus dem Himmel speist.

Herbst, dunkler Herbst, voller Gerüche,
wo Wind dein Feuer groß beschrie,
wo Laub zu Gold kocht, dunkle Küche
der erddurchflammten Alchimie,
wo Süß und Bitter brennend dampfen,
aus Ockersäften gärt ein Hauch,
die Füße nackt in Keltern stampfen
der goldnen Sonnen Wein und Rauch!

PETER HUCHEL

Fastnacht

Jene Fastnacht – ja, so wars, ihr Leute,
Eisgang donnerte im Fluß,
Klang wie geisterndes Geläute
Zwischen Scherz und Kuß.

Pauke, Waldhorn, Klarinette:
Lustig gings im Wirtshaus zu,
Bis der Strom aus seinem Bette
Aufstand ohne Ruh.

Schneevermummt, mit grünem Zapfenzahne,
Aus des Wassermannes Reich,
Stieg dann einer aus dem Kahne,
Alle schauten bleich . . .

Wen er sich zum Tanz genommen,
Keiner weiß es heute mehr,
Eine Larve ist hinabgeschwommen,
Rauhreif hinterher.

FRIEDRICH BISCHOFF

Februarmond

Ich seh den Mond des Februar sich lagern
Auf reinen Himmel, türkisblauen.
In wintergelben Gräsern, magern,
Gehn Schafe, ruhen, kauen.

Dem schönsten folgt der Widder, hingerissen.
Die Wolle glänzt, gebadete Koralle.
Ich weiß das Wort, den Mond zu hissen,
Ich bin im Paradiese vor dem Falle.

WILHELM LEHMANN

SEELEUTE

Ballade an Bord

Wirklich, Seeleute sind eine jugendliche Rasse!

Melville

Von Wassern geklärt und von Winden gewaschen
erlernen wir himmlische Geometrie
und schleudern bordüber die biergelben Flaschen –
woher der verwehende Albatros schrie.

Oben im Krähennest unter den Sternbildern
schneiden die Winde mit schärferem Schliff:
das Herz und die strähnigen Haare verwildern
und fliegen so leicht wie das krängende Schiff.

O California! O Gold! O Gefunkel!
Es schwindet der Rauch und es winselt die Spill –
so leicht sind auch wir vor dem schwindenden Dunkel
und klein vor der Sturmböen Unbill und Bill.

Besessen durchbrechen die Haie den grünen
Spiegel aus Glanz und Verlorenheit:
fliegender Holländer zieht über die Bühnen
vor leerem Gestühl und in gar keiner Zeit.

Die kindliche Anmut verspielter Delphine
ist Wahrheit der Anmut, wie wir sie gedacht,
mit einer vom Grübeln zerknitterten Miene
in einer von Träumen bevölkerten Nacht.

Elmsfeuer sendet ein Licht zum Erblinden.
Wir heben vor's Auge die haarige Hand.

Wir hofften so innig ein Wissen zu finden,
das nicht unsre Geister zu Asche verbrannt –

Und fahnden noch immer, kreuzen und fahren
weit über die Flut der Gedanken hinaus
und kehren mit ausgewaschenen Haaren
zurück in ein Haus – und es ist gar kein Haus.

Denn überall, allerorts ist es das Gleiche:
Orte zum Bleiben finden sich nicht.
Man fährt und man fährt aus der Nacht in die reiche
Wüste des Wissens im eignen Gesicht.

Irgendwann sinken wir blattleicht zum Grunde,
Steine im Strom, die der Strom nicht mehr rührt,
und werden mit einem nun fraglosen Munde
an eine arglose Küste geführt.

Alte Gebete schon halb in den Ohren
treiben wir uns vor den Winden einher:
ein Ufer gefunden, ein Ufer verloren –
das ist die Wahrheit. Sie bietet nicht mehr.

Sehr groß ist sie nicht, doch sie deckt unsre Blöße,
die windstille Mitte im wilden Taifun.
Zerbrechen die Schiffe, so steigt man auf Flöße.
Man wechselt den Gott nicht. Der Gott bleibt Neptun.

KARL ALFRED WOLKEN

Matrosen-Ballade

Salzige und blaue Wasser
Springen zwischen ihren Händen,
Sind voll Stimmen, die neptunisch
Schallen an den Brückenwänden,
Leicht zerstörbar wie Geschichten,
Die vom Jenseitswind berichten.

Ihre runden Schulterknochen
Stoßen in die große Luft,
Luft aus Teer und rotem Schilfe,
Das verblüht mit leichtem Duft.
Und mit langen Zähnen sitzen
Sie, die in der Dämm'rung blitzen.

Traurig ist ihr Mund vom Tode
Und vom gelben Haifischgott,
Arme, Hüften in sich schlingend
Wie ein Tier des Herodot.
Schwarze Äpfel ihrer Augen
Schattenfluten in sich saugen.

Und die Schattenschiffe sinken
Lautlos über ihren Herzen,
Schlagen wie getroff'ne Fische,
Winden sich im Draht der Schmerzen.
Unterm dünnen Hemde spüren
Sie die Nacht ans Sterben rühren.

KARL KROLOW

Verlassene Küste

Wenn man es recht besieht, so ist überall Schiffbruch.
Petronius

Segelschiffe und Gelächter,
Das wie Gold im Barte steht,
Sind vergangen wie ein schlechter
Atem, der vom Munde weht.

Wie ein Schatten auf der Mauer,
Der den Kalk zu Staub zerfrißt.
Unauflöslich bleibt die Trauer,
Die aus schwarzem Honig ist,

Duftend in das Licht gehangen,
Feucht wie frischer Vogelkot
Und den heißen Ziegelwangen
Auferlegt als leichter Tod.

Kartenschlagende Matrosen
Sind in ihrem Fleisch allein.
Tabak rieselt durch die losen
Augenlider in sie ein.

Ihre Messer, die sie warfen
Nach dem blauen Vorhang Nacht,
Wurden schartig in dem scharfen
Wind der Ewigkeit, der wacht.

KARL KROLOW

Zeigen

Da war,
da war doch,
vom Wassertode gefangen,
ein Schiffer.

Vom Wassertode gefangen,
stieß er
durch den Spiegel der Wasser
und zeigte uns,
zeigte uns fahrenden Schiffern

eine Handvoll
Graues vom Grunde.

ERNST MEISTER

Die Inseln

Aus den Rümpfen von Schaluppen
Sind sie gebildet, weiß
Wie die Wolle der Pappelsamen
Über dem Wasser!

Kein Ruderer wird sie erreichen.
Kein schwarzes Segel am Mittag.
Sie stehen mit hohen Frauenschenkeln
Auf der Flut und blinzeln abweisend
In ein Licht, das
Keine Stimmen duldet.

Nur abnehmender Mond
Reitet sie ein paar Nächte lang.

Seiner Begehrlichkeit
Sind sie nicht gewachsen.
Von fern hört man sie singen,
Bis er untergegangen ist.

Bald darauf werden dann meistens
Die Leichen einiger Matrosen
Wie große Fische
An Land geworfen.

KARL KROLOW

Robinson

I

Immer wieder strecke ich meine Hand
Nach einem Schiff aus.
Mit der bloßen Faust versuche ich,
Nach seinem Segel zu greifen.
Anfangs fing ich
Verschiedene Fahrzeuge, die sich
Am Horizont zeigten.
Ich fange Forellen so.
Doch der Monsun sah mir
Auf die Finger
Und ließ sie entweichen,
Oder Ruder und Kompaß
Brachen. Man muß
Mit Schiffen zart umgehen.
Darum rief ich ihnen Namen nach.
Sie lauteten immer
Wie meiner.

Jetzt lebe ich nur noch
In Gesellschaft mit dem Ungehorsam
Einiger Worte.

II

Ich habe zu rechnen aufgehört,
Wenn ich auch noch Finger habe,
Die ich nacheinander ins salzige Wasser
Tauchen kann.

Insekten und Tabakblätter
Kennen die Zeit nicht,
Die ich früher vergeudete.

Mein letzter Nachbar,
Der das Waldhorn blies
(Er hatte es einst einem Volkslied
Listig entwendet),
Kam auf See um.

Zuweilen fällt ein bißchen Sonne
Auf den Tisch, unter dem ich die Füße
Strecke.
Ich brauche keine Sehnsucht mehr
Zu haben.

III

Diese Gewohnheit, irgendwo sehr lange
Auf einem Stuhl zu sitzen
Und zu horchen, ob es

In einem regnet
Oder in der Leber
Der Skorpion sich noch rührt!

Gezählt sind alle Blitze,
Alle Streichhölzer, die übrig blieben.

Bis man es leid ist,
Und den letzten Wimpel
Im Meer versenkt.

KARL KROLOW

Robinson

Manchmal weint er wenn die worte
still in seiner kehle stehn
doch er lernt an seinem orte
schweigend mit sich umzugehn

und erfindet alte dinge
halb aus not und halb im spiel
splittert stein zur messerklinge
schnürt die axt an einen stiel

kratzt mit einer muschelkante
seinen namen in die wand
und der allzu oft genannte
wird ihm langsam unbekannt

CHRISTA REINIG

Kleiner Hafen

Der Mond, die weiße Perle,
Scheint auf betrunkne Kerle.
Betrunkne hat ja jede Stadt
Von Zuidersee bis Kattegat.

Sie saufen, bis sie lallen,
Und laufen, bis sie fallen.
Sie liegen hier im Ufersand,
Zerscherbte Gläser in der Hand.

Wer hebt sie auf, die Guten?
Und bringt sie auf die Schuten?
Die Kutter, Ewer, ankerfest?
Wer tut, was jeder andre läßt? –

So bleiben sie hier liegen.
Der Sand scheint sie zu wiegen.
Und einer überschwankt das Brett
Und fällt genau ins Totenbett.

GEORG VON DER VRING

Die Seeräuber-Jenny oder Träume eines Küchenmädchens

Meine Herren, heute sehen Sie mich Gläser abwaschen
Und ich mache das Bett für jeden.
Und Sie geben mir einen Penny, und ich bedanke mich schnell
Und Sie sehen meine Lumpen und dies lumpige Hotel
Und Sie wissen nicht, mit wem Sie reden.
Aber eines Abends wird ein Geschrei sein am Hafen

Und man fragt: Was ist das für ein Geschrei?
Und man wird mich lächeln sehn bei meinen Gläsern
Und man sagt: Was lächelt die dabei?
        Und ein Schiff mit acht Segeln
        Und mit fünfzig Kanonen
        Wird liegen am Kai.

Und man sagt: Geh, wisch deine Gläser, mein Kind
Und man reicht mir den Penny hin.
Und der Penny wird genommen und das Bett wird gemacht.
(Es wird keiner mehr drin schlafen in dieser Nacht)
Und Sie wissen immer noch nicht, wer ich bin.
Denn an diesem Abend wird ein Getös sein am Hafen
Und man fragt: Was ist das für ein Getös?
Und man wird mich stehen sehen hinterm Fenster
Und man sagt: Was lächelt die so bös?
        Und das Schiff mit acht Segeln
        Und mit fünfzig Kanonen
        Wird beschießen die Stadt.

Meine Herren, da wird wohl Ihr Lachen aufhören
Denn die Mauern werden fallen hin
Und die Stadt wird gemacht dem Erdboden gleich
Nur ein lumpiges Hotel wird verschont von jedem Streich
Und man fragt: Wer wohnt Besonderer darin?
Und in dieser Nacht wird ein Geschrei um das Hotel sein
Und man fragt: Warum wird das Hotel verschont?
Und man wird mich sehen treten aus der Tür gen Morgen
Und man sagt: Die hat darin gewohnt?
        Und das Schiff mit acht Segeln
        Und mit fünfzig Kanonen
        Wird beflaggen den Mast.

Und es werden kommen hundert gen Mittag an Land
Und werden in den Schatten treten
Und fangen einen jeglichen aus jeglicher Tür
Und legen ihn in Ketten und bringen vor mir
Und fragen: Welchen sollen wir töten?
Und an diesem Mittag wird es still sein am Hafen
Wenn man fragt, wer wohl sterben muß.
Und dann werden Sie mich sagen hören: Alle!
Und wenn dann der Kopf fällt, sag ich: Hoppla!
Und das Schiff mit acht Segeln
Und mit fünfzig Kanonen
Wird entschwinden mit mir.

BERTOLT BRECHT

Im Hafen

Katzen, Liebende.
Die Sonne
über Bösen und Guten.

Er lehnt im Schatten –
seine Fahrten und Irrfahrten
sind zu Ende.

Er fragt sich:
Wie ist es möglich
zu leben?

Die Besatzungen bummeln.
Die Liebenden
trinken Kaffee.

Nie mehr
ein günstiger Wind?
Nie mehr Delphine.

Die scharfen Masten
pendeln im Blau . . .

Er teilt mit den Schultern
einen Perlenvorhang:

„Mi faccia la barba,
per favore."

HEINZ PIONTEK

DEN HIMMEL HINUNTER

Aktaion

Kein Mann –
wenn er ein Mann war –
erzählte am Lagerfeuer:
„Da sah ich – – –"
(Die Sklaven prahlten,
ihre Windbeutelei verriet,
daß sie nicht ahnten, um was es ging.)
Wir wußten alle,
welch hohen Preis wir entrichten mußten,
schwiegen,
begnügten uns mit Wachteln und Schnepfen,
Trauben und Ziegenkäse,
rasteten und brachen auf,
immer auf der Fährte
des *einen* Wilds:
Artemis.

Man verlor kein Wort darüber,
daß der Abschied
immer in der Schwebe lag,
der Jäger, der die Beute erpirscht,
nie zu den Gefährten
wiederkehrte.

Als ich die Zweige teilte,
dich unter dem Sturzbach sah,
erschaute mein Auge
deinen Lebensgrund,
dein Bild blieb unversehrt
im Gedächtnis zurück.

Ich setzte der Zaubermacht,
die von mir Besitz ergriff,
keinen Widerstand entgegen;
ich war ja an der Wandlung beteiligt,
die Goldwerdung zu einem Hirsch
entsprach meinem innerlichen Weg.

Doch in der Ferne
schlugen die lakonischen Hunde
schon an,
die likrischen und kretischen Rüden,
die ihren Herren
nicht wiedererkannten!

Nachtrag:
Einige sagen,
daß er „der Schönheit
des reinen Seins
erlag".
Andere,
daß er „sein Leben
für die vollendete Form
in die Schanze schlug".
Was immer auch die Legende
von ihm künde,
der das Wunderbare stellte,
wenn euch dies eine Genugtuung ist,
so hört:
zerrissen wurde er immer,
in allen Erzählungen,
die über Aktaion
berichten.

CYRUS ATABAY

Was hat, Achill...

Unbehelmt,
Voran der Hundemeute,
Über das kahle Vorgebirge her
Auf ihrem Rappen eine,
Den Köcher an der bleichen Mädchenhüfte.

Ein Falke kreist im blauen, großen,
Unermeßlich blauen,
Großen Himmel.

Er wird niederstoßen,
Die harten Krallen und den krummen Schnabel
Im Blut zu tränken, dem purpurnen Saft,
An dem das Falkenvolk sich wild berauscht.

Die nackte Brust der Reiterin.
Ihr glühend Aug.
Die Tigerhunde.
Der Rappe, goldgezügelt.
Sie hält ihn an.

Mit allem Licht
Tritt aus den Wäldern vor
Der Mann der Männer.
Die Tonnenbrust.
Auf starkem Hals das apfelkleine Haupt.

Er sieht die Reiterin.
Und sie sieht ihn.

So stehn sich zwei Gewitter still
Am Morgen- und am Abendhimmel gegenüber.

Der Falke schwankt betrunken auf der Beute.
Was hat, Achill,
Dein Herz?
Was auch sein Schlag bedeute:
Heb auf den Schild aus Erz!

GEORG BRITTING

Thamar und Juda

Ich habe mich in Tränen schön gebadet:
O der Hure, die ich nun bin!
Granatfrucht, die geschmückt den Pflücker ladet;
Laubig lockend hängt Schleier über mich hin.

Der Mantel deckt mich, den die Nacht der Hirten
Über Lammweiden weht.
Und ich bin Thamar: Palme vor den Myrten.
Und wenn mein Herr mit seinem Knaben geht

Zur Schur gen Timnath, wo gedrängt die Schafe
Ihm wandeln, wellig wie ein Fluß,
Soll er mich schauen, daß er bei mir schlafe,
Der Zeugende, mit dem ich buhlen muß

Um diese Kinder, alle Kindeskinder,
Die schon in meiner Tiefe weinen nach Licht,
Die Helden, stark und ernst wie hörnige Rinder,
Und Könige mit meines Herrn Gesicht.

So sieh, ich will dich stillen. Mit den Lüsten,
Die, Datteln und dunkle Trauben, mein Wuchs dir bringt,
Mit meinem blauschwarzen Haar, dem Mund, den Brüsten,
Draus einst die weiße Quelle springt.

Es breite doch mein Herr über mich seinen Schatten,
Er lege bei mir nieder Stab und Ring. –
Und Juda zog zur Herde auf die Matten
Und kam und tat. Und sie empfing.

GERTRUD KOLMAR

Ballade nach Shakespeare

Warum wird Hamlet nimmermehr
Bei seiner Liebsten schlafen?
Sie haben ein Bett, und das Bett ist leer,
Das Schiff hat keinen Hafen.

Ophelia hat sich dargebracht,
Und Hamlet war eingeweiht,
Aber die Zeit ihrer Liebesnacht
War nicht in dieser Zeit.

Er ist nicht fern. Er hat seinen Sitz
Eine Sesselhöhe unter ihr.
Aber sein leidender, stäubender Witz
Ist voller Todesbegier.

Sein Geist, sein schrecklicher Mannesmut,
Schlafraubend, Grimm und Entbehren,
Eine Feuersäule, ein brennendes Blut,
Wie wird er die Bühne verheeren!

Dies alles umstellt ihn: Throne und Stufen,
Spiegel und spanische Wände.
Man hört ihn nach Gespenstern rufen,
Nach Schlaf und Tod und Ende.

Stürzt über Terrassen und Balustraden
Und tut seinem Schwerte Bescheid.
Er schleppt sich ab, mit Toten beladen,
Um nichts als Gerechtigkeit.

Du Schwert, das seinen kühnsten Stoß
Gegen die Hydra der Zeugung führt!
Verdorren muß Ophelias Schoß,
Wenn Hamlet ihn nicht berührt.

Und wenn die Liebe sie selig spricht,
Die Welt muß sich entzwein.
Die Welt in Tod und Tod zerbricht,
Manns Tod und Weibes Schrein.

Ophelias Geist, mit Mohn bestreut,
Geht zu den Nixen und Fischen.
Im Wasser treiben Kranz und Kleid,
Salbei und Wermut, Tod und Zeit
In grenzenlosem Vermischen.

HANS EGON HOLTHUSEN

Erinnerung an die Marie A.

An jenem Tag im blauen Mond September
Still unter einem jungen Pflaumenbaum
Da hielt ich sie, die stille bleiche Liebe
In meinem Arm wie einen holden Traum.
Und über uns im schönen Sommerhimmel
War eine Wolke, die ich lange sah
Sie war sehr weiß und ungeheuer oben
Und als ich aufsah, war sie nimmer da.

Seit jenem Tag sind viele, viele Monde
Geschwommen still hinunter und vorbei.
Die Pflaumenbäume sind wohl abgehauen
Und fragst du mich, was mit der Liebe sei?
So sag ich dir: Ich kann mich nicht erinnern
Und doch, gewiß, ich weiß schon, was du meinst.
Doch ihr Gesicht, das weiß ich wirklich nimmer
Ich weiß nur mehr: ich küßte es dereinst.

Und auch den Kuß, ich hätt ihn längst vergessen
Wenn nicht die Wolke dagewesen wär
Die weiß ich noch und werd ich immer wissen
Sie war sehr weiß und kam von oben her.
Die Pflaumenbäume blühn vielleicht noch immer
Und jene Frau hat jetzt vielleicht das siebte Kind
Doch jene Wolke blühte nur Minuten
Und als ich aufsah, schwand sie schon im Wind.

BERTOLT BRECHT

Dämmerung

Ich höre den Tritt auf den Treppen.
Tapeten wollen von den Wänden blättern.
Da ist die Tür aus gemasertem Holz,
mit der Farbe des Abends gestrichen:
du kommst.

Eine Haarkurve teilt dein Gesicht.
Wir wissen, was ist und was sein wird.
Laute flattern wie trunkne Insekten,
schaukeln auf den Wellen des Atems:
du sprichst.

Der Fußboden ist ein Schachbrett.
Zug um Zug nähern sich unsre Figuren.
Dann werden die Felder sich gleich.
Wir trinken aus einem einzigen Glas:
du bleibst.

GERHARD NEUMANN

Ich lade Dich ein

Liebster, ich lade dich ein,
komm in das Haus unsrer Wünsche
und häng deinen Hut an die Wand,
den Hut mit dem kleinen Schußloch.
Denn ich habe das Haus
ganz nach deinem Befehle gebaut.
Es ist alles darin, was wir brauchen.
Der blaue Himmel der Tropen,

die leichte Luft von Madrid,
doch ohne den lästigen Wind, der
dir die Papiere zerzaust.
Die Zimmer sind im gobelinweichen Grün
der Hänge von Heidelberg gestrichen.
Ich geb dir die alte Brücke als Bett,
mit einer Kautschukmatratze darauf.
Es riecht nach den Glyzinien
der Via Monte Tarpeo,
Marc Aurel ist wieder unser Portier.
Des Abends vergoldet die Sonne den Tiber,
dann singt uns die Nachtigall am Palatin.
Danach gehen wir in die Kammerspiele,
in die Scala oder Old Vic,
oder sehn den großen Barrault,
ob Paris ihn gerade mag oder nicht.
Du hast immer Zeit,
und es fällt dir was ein, wenn du Zeit hast.
(Die Schreibmaschine kopiert von allein,
völlig geräuschlos, versteht sich.)
Und was du schreibst,
wird im ersten Monat gedruckt
und sofort darauf rezensiert
und gefällt dir und den Andern, und das mit Recht,
denn es ist bahnbrechend, einfach und gut
und zur richtigen Stunde gesagt. –
Und für die Flauten schreibt Händel
dir neue Concerti Grossi,
weil du die alten schon kennst,
und der tote Busch dirigiert.
Dann ißt du gebratene Enten
und Frühlingssalat aus Florenz.

Wir spülen nie. Die Teller
werfen wir zum Fenster hinaus,
wie in Rom in der Neujahrsnacht.
Sei unbesorgt, sie fallen
niemand auf den Kopf,
denn unten ist keine Straße.
Deswegen ist's auch so ruhig,
und nichts stört deinen Schlaf
(und morgens bleibt dir nie
ein weißes Haar an der Bürste).
Dabei sind die Oper und das Kino
mit ausgewähltem Programm
gleich um die nächste Ecke,
und dort stehen auch die Museen.
Die frühen Kulturen sind gut vertreten,
die fernöstliche Sammlung ist exquisit,
und ein Wiener Café in der Nähe.
Dort sehen wir rasch die Zeitungen durch,
sie sind, wie immer,
empörend interessant,
nur ist alles viel weiter weg.
Wir lesen mit kopfschüttelndem Entsetzen,
wie die Schwalben vom Himmel fallen
nach den Atomexplosionen
auf einer anderen Erde.
Dann gehn wir nachhause, und du schläfst Siesta,
und für mich steht bei der Terrasse ein Baum
mit dem unentbehrlichen grünblauen Muster.
Wir arbeiten viel,
und wir lachen noch mehr,
und wir haben reizende Gäste
– wer käme nicht gern in das Haus? –

denen liest du in allen Sprachen,
am liebsten auf deutsch,
das Geschriebene vor.
Dann fahren wir zusammen zu Martha Graham
oder zum Negerballett von Port-au-Prince,
oder machen einen kurzen Mondscheinspaziergang
in den Löwenhof der Alhambra.
Der Briefträger, mein Herz, kommt pünktlich zum Frühstück,
gleich nach dem blauweißen Gruß
der kleinen Möwen über der See,
und bringt Liebesbriefe von deinem Verleger
und Angebote von Stellen, die du nicht brauchst.
Denn du hast, was du wünschst,
und du tust, was du magst.
Und du tobst nur ganz selten,
damit ich behalte, wie gut du es kannst,
und bist viel geduldiger als sonst.

Liebster, nimm deinen Hut von der Wand,
den Hut mit dem kleinen Schußloch,
und geh auf ein Wohnungsbüro, ich bitt dich,
und sieh,
was sie uns anbieten können.
Sonst stürz ich mich noch aus dem Fenster
dieses Hauses, das es nicht gibt.

Und das Fenster, glaub mir, ist hoch.

HILDE DOMIN

Schnee und Bohnenstroh

Mit schlappem Rock
um blaue Beine:
Sie
im Schnee, zwischen Bohnenstroh.

Kniete und krähte
unter bläulicher Nase
aus einem Rachen,
der rosa war, warm war,
heiser wurde.

Erst toll wie ein Hahn:
schlug mit den Flügeln
der Arme die klirrende
Frostluft und biß
in die Kälte.

Die Zähne wurden stumpf,
der Rock steif
um die weißen Beine.

Ihr weitgewanderter Vetter,
Wind, schwang sich
aus einem abgespannten Himmel
zum Bohnenstroh, das klirrte.

Das war, als ich
von Bitterfeld nach Süßen zog.

KARL ALFRED WOLKEN

Die blaue Stunde

Der alte Mann sagt: mein Engel, wie du willst,
wenn du nur den offenen Abend stillst
und an meinem Arm eine Weile gehst,
den Wahrspruch verschworener Linden verstehst,
die Lampen, gedunsen, betreten im Blau,
letzte Gesichter! nur deins glänzt genau.
Tot die Bücher, entspannt die Pole der Welt,
was die dunkle Flut noch zusammenhält,
die Spange in deinem Haar, scheidet aus.
Ohne Aufenthalt Windzug in meinem Haus,
Mondpfiff – dann auf freier Strecke der Sprung,
die Liebe, geschleift von Erinnerung.

Der junge Mann fragt: und wirst du auch immer?
Schwör's bei den Schatten in meinem Zimmer,
und ist der Lindenspruch dunkel und wahr,
sag ihn her mit Blüten und öffne dein Haar
und den Puls der Nacht, die verströmen will!
Dann ein Mondsignal, und der Wind steht still.
Gesellig die Lampen im blauen Licht,
bis der Raum mit der vagen Stunde bricht,
unter sanften Bissen dein Mund einkehrt
bei meinem Mund, bis dich Schmerz belehrt:
lebendig das Wort, das die Welt gewinnt,
ausspielt und verliert, und Liebe beginnt.

Das Mädchen schweigt, bis die Spindel sich dreht.
Sterntaler fällt. Die Zeit in den Rosen vergeht: –
Ihr Herren, gebt mir das Schwert in die Hand,
und Jeanne d'Arc rettet das Vaterland.

Leute, wir bringen das Schiff durchs Eis,
ich halte den Kurs, den keiner mehr weiß.
Kauft Anemonen! drei Wünsche das Bund,
die schließen vorm Hauch eines Wunsches den Mund.
Vom hohen Trapez im Zirkuszelt
spring ich durch den Feuerreifen der Welt,
ich gebe mich in die Hand meines Herrn,
und er schickt mir gnädig den Abendstern.

INGEBORG BACHMANN

Der Tanz im Gras

Das Weib des Nachbarn war betrunken.
Sie hat getanzt, sie hat gesungen
Des Morgens früh im grauen Gras,
Die Drossel auf dem Birnbaum saß.

Sie tanzte wegauf, sie tanzte wegab,
Sie tanzte drei Männern den Kopf herab:
Der erste der sang, der zweite der sprang,
Der dritte lag drinnen, das Ohr an der Wand.

Sie haben getrunken – man konnte nichts machen,
Den grauen Weg sie tanzten mit Lachen.
Das Weib drei Männer im Kreise schwang.
Die Drossel hub an den Morgengesang.

Der erste fiel in das nasse Gras.
Der zweite hat den Weg umfaßt.
Der dritte hat sie zur Kammer gebracht,
Die Füßchen gewärmt und Tee gemacht.

GEORG VON DER VRING

Das Spiel ist aus

Mein lieber Bruder, wann bauen wir uns ein Floß
und fahren den Himmel hinunter?
Mein lieber Bruder, bald ist die Fracht zu groß
und wir gehen unter.

Mein lieber Bruder, wir zeichnen aufs Papier
viele Länder und Schienen.
Gib acht, vor den schwarzen Linien hier
fliegst du hoch mit den Minen.

Mein lieber Bruder, dann will ich an den Pfahl
gebunden sein und schreien.
Doch du reitest schon aus dem Totental
und wir fliehen zu zweien.

Wach im Zigeunerlager und wach im Wüstenzelt,
es rinnt uns der Sand aus den Haaren,
dein und mein Alter und das Alter der Welt
mißt man nicht mit den Jahren.

Laß dich von listigen Raben, von klebriger Spinnenhand
und der Feder im Strauch nicht betrügen,
iß und trink auch nicht im Schlaraffenland,
es schäumt Schein in den Pfannen und Krügen.

Nur wer an der goldenen Brücke für die Karfunkelfee
das Wort noch weiß, hat gewonnen.
Ich muß dir sagen, es ist mit dem letzten Schnee
im Garten zerronnen.

Von vielen, vielen Steinen sind unsre Füße so wund.
Einer heilt. Mit dem wollen wir springen,
bis der Kinderkönig, mit dem Schlüssel zu seinem Reich im
Mund,
uns holt, und wir werden singen:

Es ist eine schöne Zeit, wenn der Dattelkern keimt!
Jeder, der fällt, hat Flügel.
Roter Fingerhut ist's, der den Armen das Leichentuch säumt,
und dein Herzblatt sinkt auf mein Siegel.

Wir müssen schlafen gehn, Liebster, das Spiel ist aus.
Auf Zehenspitzen. Die weißen Hemden bauschen.
Vater und Mutter sagen, es geistert im Haus,
wenn wir den Atem tauschen.

INGEBORG BACHMANN

Entdeckung an einer jungen Frau

Des Morgens nüchterner Abschied, eine Frau
Kühl zwischen Tür und Angel, kühl besehn.
Da sah ich: eine Strähn in ihrem Haar war grau
Ich konnt mich nicht entschließen mehr zu gehn.

Stumm nahm ich ihre Brust, und als sie fragte
Warum ich Nachtgast nach Verlauf der Nacht
Nicht gehen wolle, denn so war's gedacht
Sah ich sie unumwunden an und sagte:

Ist's nur noch eine Nacht, will ich noch bleiben
Doch nütze deine Zeit; das ist das Schlimme
Daß du so zwischen Tür und Angel stehst.

Und laß uns die Gespräche rascher treiben
Denn wir vergaßen ganz, daß du vergehst.
Und es verschlug Begierde mir die Stimme.

BERTOLT BRECHT

Englisches Café

Das ganze schmalschuhige Raubpack,
Russinnen, Jüdinnen, tote Völker, ferne Küsten,
schleicht durch die Frühjahrsnacht.

Die Geigen grünen. Mai ist um die Harfe.
Die Palmen röten sich. Im Wüstenwind.

Rahel, die schmale Golduhr am Gelenk:
Geschlecht behütend und Gehirn bedrohend:
Feindin! Doch deine Hand ist eine Erde:
süßbraun, fast ewig, überweht vom Schoß.

Freundlicher Ohrring kommt. In Charme d'Orsay.
Die hellen Osterblumen sind so schön:
breitmäulig gelb, mit Wiese an den Füßen.

O Blond! O Sommer dieses Nackens! O
diese jasmindurchseuchte Ellenbeuge!
Oh, ich bin gut zu dir. Ich streichle
dir deine Schultern. Du, wir reisen:

Tyrrhenisches Meer. Ein frevelhaftes Blau.
Die Dorertempel. In Rosenschwangerschaft
die Ebenen. Felder
sterben den Asphodelentod.

GOTTFRIED BENN

Makabrer Wettlauf

Du sprachst vom Schiffe-Verbrennen
– da waren meine schon Asche –,
du träumtest vom Anker-Lichten
– da war ich auf hoher See –,
von Heimat im Neuen Land
– da war ich schon begraben
in der fremden Erde,
und ein Baum mit seltsamem Namen,
ein Baum wie alle Bäume,
wuchs aus mir,
wie aus allen Toten,
gleichgültig, wo.

HILDE DOMIN

Signorina S.

Um Kirschen und Mauern: Legenden.

Um ihre krähenschwarze Schönheit:
Unschuld, noch einmal Unschuld,
Unschuld
und männliche Nachrede.

Von ihren kühnen Maßen und ihrer
blendenden Reinheit verstört,
sagt man:
ihre Haarwurzeln seien grün
von innerem Schwefel.

Mitternächtig bis in die Fingerspitzen,
züchtige sie die fliegende Hitze
der Keuschheit

mit langen Seitenblicken
auf ihre vornehme zügellose beherrschte
fröhliche Hinrichtung.

Soviel davon.

Um Kirschen und Mauern: Legenden.

KARL ALFRED WOLKEN

Sachliche Romanze

Als sie einander acht Jahre kannten
(und man darf sagen: sie kannten sich gut),
kam ihre Liebe plötzlich abhanden.
Wie andern Leuten ein Stock oder Hut.

Sie waren traurig, betrugen sich heiter,
versuchten Küsse, als ob nichts sei,
und sahen sich an und wußten nicht weiter.
Da weinte sie schließlich. Und er stand dabei.

Vom Fenster aus konnte man Schiffen winken.
Er sagte, es wäre schon Viertel nach vier
und Zeit, irgendwo Kaffee zu trinken.
Nebenan übte ein Mensch Klavier.

Sie gingen ins kleinste Café am Ort
und rührten in ihren Tassen.
Am Abend saßen sie immer noch dort.
Sie saßen allein, und sie sprachen kein Wort
und konnten es einfach nicht fassen.

ERICH KÄSTNER

Kavaliere

Das Eis klingelt
wie Pfennige im Glas.

Ihr Vogelsteller,
wie ihr ausschaut
nach den Freundinnen eurer Einbildung!

Sie werden nicht mit euch schlafen.
Ihre Absätze siegeln
Botschaften im Kies
für Lieblinge in Kapuzenmänteln.

O unterlaßt es,
mit den Zähnen zu knirschen –
seid fair!

Warum geht ihr nicht heim,
um zu sterben
für Wimpern, die naß sind
von Streit und Lachen,
für einen hüpfenden Ausschnitt?

Ihr seid alt genug!

Aber sie lauern.
Der Tag sinkt auf Sonnensegel.
Und hinter den Karussells
liegen die Schützenkönige
rüde mit ihren Rosen
im Sand.

HEINZ PIONTEK

Die Verlassene

Dein Hals war mein Turm.
Mein Rock war dein Banner.

Mein liebster Gesell.
Du Lump.

Ich hing an deinem Mund
und lobte den Rauch deiner Pfeife.
Du tauschtest mich ein wie ein Bauer,
der seinen Maulesel satt hat.

Ich lag auf dem Bauch vor dir
und auf dem Rücken.
Ein Seidenschlips unterm Bett
ist mein Lohn.

Warum macht denn das Alter
aus meiner Liebe einen Abgrund
für die Gerechtigkeit?

O so schlau bin ich wohl,
daß ich mich immer noch
aus dem Fenster lehne,

wenn dein blitzender Wagen,
voller Salat und Südfrüchte,
vorbeijagt . . .

Dein Hals war mein Turm,
du Lump.

Den Kindern werd ich erzählen,
daß dich der Teufel geholt hat.

HEINZ PIONTEK

Vom ertrunkenen Mädchen

Als sie ertrunken war und hinunterschwamm
Von den Bächen in die größeren Flüsse
Schien der Opal des Himmels sehr wundersam
Als ob er die Leiche begütigen müsse.

Tang und Algen hielten sich an ihr ein
So daß sie langsam viel schwerer ward.
Kühl die Fische schwammen an ihrem Bein
Pflanzen und Tiere beschwerten noch ihre letzte Fahrt.

Und der Himmel ward abends dunkel wie Rauch
Und hielt nachts mit den Sternen das Licht in Schwebe.
Aber früh ward er hell, daß es auch
Noch für sie Morgen und Abend gebe.

Als ihr bleicher Leib im Wasser verfaulet war
Geschah es (sehr langsam), daß Gott sie allmählich vergaß
Erst ihr Gesicht, dann die Hände und ganz zuletzt erst ihr
Haar.
Dann ward sie Aas in' Flüssen mit vielem Aas.

BERTOLT BRECHT

ABGESANG

Andreasnacht

Mutter häng den Spiegel zu,
Gib mir Ring und Spange,
Riegle Tor und Türe zu,
Stand schon wer im Gange,
Draußen in dem Wind!
Deus meus, ach Andreus,
Sei mir wohlgesinnt!

Sparren knarrt und Spinne webt
Fädlend hin und her.
Draußen pocht es dumpf und schwer,
Und das Mädchen bebt.
Schaut verschämt mit roten Wangen:
Deus meus, ach Andreus,
Kam doch wer gegangen?

Doch der in die Stube tritt,
Kann es nimmer sein,
Kommt mit schwerem Flößerschritt
Nebelgrau herein.
Deus meus, ach Andreus,
Laß mich dich erkennen!
Doch die dunkeln Augen brennen
Fremd und ohne Schein.

Deus meus, ach Andreus,
Wie soll ich dich nennen?
Sagt der Fremde ohne Gruß:
Wirst mich schon erkennen,
Riefst im Schilf den Fluß hinab,

Als ich kam geschwommen,
Brachst vom Stoß dies Hölzlein ab,
das ich mir genommen.

Lieber Gott, o Mutter hilf!
Schütz mich, heilig Wort!
Sagt der Mann aus Schlamm und Schilf:
Tu die Spange fort,
Brauchst sie nicht, die Jungfernsachen,
An dem kühlen Ort,
Wo wir Hochzeit machen!

Deus meus, ach Andreus,
Angelweit steht auf das Tor,
Mutter kniet am tauben Herde,
Drin die Glut vergor:
Ein Geruch von Fluß und Erde
Haucht verwest hervor!

FRIEDRICH BISCHOFF

Als wir einen Baum fällten

Das harte Gekreisch der Sägen
Zerfrißt das bejahrte Holz,
Du siehst, wie in Linien, schrägen,
Hinschwindet der luftige Stolz.
Es stöhnen und knirschen die Jahre,
Bald liegen sie auf der Bahre.

Die Äste, die windumarmten,
Ach, alles muß nieder, herab,

Die Hochgemuten erbarmten
Den Fäller, – er blickt in sein Grab.
Er sägt und er hackt und er sägt,
Weiß nicht, wann die Stunde ihm schlägt.

Jetzt riecht er des Baumes Angstschweiß
Und richtet sich auf und erschrickt,
Er spürt ein Schaudern, und nun weiß
Er, wer's ist, der da Schatten herschickt.
Er neigt sich vor dieser Welt,
Noch steht er, – das Andere fällt.

HORST LANGE

Dorfmusik

Letztes Boot darin ich fahr
keinen Hut mehr auf dem Haar
in vier Eichenbrettern weiß
mit der Handvoll Rautenreis
meine Freunde gehn umher
  einer bläst auf der Trompete
  einer bläst auf der Posaune
Boot werd mir nicht überschwer
hör die andern reden laut:
dieser hat auf Sand gebaut

Ruft vom Brunnenbaum die Krähe
von dem ästelosen: wehe
von dem kahlen ohne Rinde:
nehmt ihm ab das Angebinde
nehmt ihm fort den Rautenast

doch es schallet die Trompete
doch es schallet die Posaune
keiner hat mich angefaßt
alle sagen: aus der Zeit
fährt er und er hats nicht weit

Also weiß ichs und ich fahr
keinen Hut mehr auf dem Haar
Mondenlicht um Brau und Bart
abgelebt zuendgenarrt
lausch auch einmal in die Höhe
denn es tönet die Trompete
denn es tönet die Posaune
und von weitem ruft die Krähe
ich bin wo ich bin: im Sand
mit der Raute in der Hand

JOHANNES BOBROWSKI

Die Gerechten

Als schuster Baruch schon im sterben lag
stach er die letzten nähte an den schäften
beschloß noch hier und da mit zwirn zu heften
sein atem stand – und weiter ging der tag

hätt er gelesen daß die schöpfung ruht
auf acht erwählten die gerecht und wahr sind
die niemand kennt und niemals offenbar sind
vielleicht hätt er uns sorgloser beschuht

jedoch die sage war ihm nicht bekannt
nicht auf erwählte warf er seine plagen

und was er trug hat er allein getragen
jetzt rollte ihn ein fuhrwerk über sand

und nur der fuhrknecht bog den nacken tief
er hörte plötzlich auf den gaul zu prügeln
stieg ab und hielt die hand leicht in den zügeln
und fortan sah man wie er bergwärts lief

CHRISTA REINIG

Auf ein Grab

Der hier begraben liegt, hat nicht viel Geld erworben
und außer dieser hier nie eine Liegenschaft.
Er ist wie jedermann geboren und gestorben,
und niemand rühmte ihn um Tat- und Geisteskraft.

Da er nichts hinterließ, ist er wohl längst vergessen.
Du, Fremder, bleibe stehn und merk auf diese Schrift.
Dann sag mir, ob sein Lob nicht manches übertrifft,
das in der Leute Mund und ihrem Ohr gesessen.

Daß jedes Jahr geblüht, war seine größte Lust!
Da schritt er ohne Hut gemächlich über Land.
Und wenn zu Winterszeit er erstmals heizen mußt,
dann hat er wie den Schlaf den Ofen Freund genannt.

Er teilte brüderlich sein Brot mit Hund und Meise
und wer es sonst begehrt. Hat niemanden verdammt,
hat niemanden gehaßt als nur das Steueramt,
sprach nie vom Börsenkurs und selten über Preise.

Versichert war er nicht und nicht im Sportvereine.
Er ging zu keiner Wahl, er diente keinem Herrn,
sang nicht im Kirchenchor. Zeitungen hielt er keine.
Doch daß ichs nicht vergeß: er hatte Rettich gern.

Er rauchte Caporal. Ist wenig nur gereist.
Dafür hats ihn gefreut, in jungem Gras zu ruhn.
Dann war er noch bemüht, gar niemand wehzutun,
und lobte Gottes Treu und Zuger Kirschengeist.

Du, Wandrer, bitt für ihn. Und bleibe eingedenk,
daß Gott dein Kämmrer ist, dein Truchseß und dein Schenk.

WERNER BERGENGRUEN

Die Leuchttürme

Der weiße Leuchtturm und der in Rot,
Und lauter Grün überm Inselkreis,
Und nah bei der Insel zwei Knaben im Boot;

Geglitzer der Wellen, das Segel rauscht leis,
Am Segel erscheint der Leuchtturm in Rot
Und, nicht zu vergessen, der andre in Weiß.

Und nicht zu vergessen: die Knaben im Boot –
Lieber, beließ dir der flandrische Tod
Den roten Leuchtturm und den in Weiß?

Dies fragt der zweite der Knaben, ein Greis.

GEORG VON DER VRING

Abgesang

Fährfrau mit dem runden Hut
Hast du ihn gesehen?
Ja, sagt die Fährfrau.

Hirte mit dem toten Lamm
Hast du ihn gesehen?
Ja, sagt der Hirte.

Bergmann mit dem weißen Licht
Hast du ihn gesehen?
Ja, sagt der Bergmann.

Welchen Weges ging er, Fährfrau?
Übers Wasser trocknen Fußes.

Welchen Weges ging er, Hirte?
Berghinüber leichten Atems.

Welchen Weges ging er, Bergmann?
In der Erde lag er still.

Was stand auf seinem Gesicht geschrieben?
Frieden, sagten alle. Frieden.

MARIELUISE KASCHNITZ

Mein Leben mein Tod

Geboren hat mich ein zwanzigjähriges Mädchen,
Die trug eine Bluse mit Fischbeinkragen und Brüsseler
Spitzen.
Weißt du das bräunliche Foto, das schwankende Lächeln,
Frühreifes Glück und kleine, unsichere Trauer:
Ein Leib und eine Zeit, umnachtet von Ewigkeit,
In der wir nicht sind und niemand auf Erden uns sieht.
Hier bin ich: zwischen Ungeboren und Nimmermehr
Liegt eine Spanne Schmerz, Fleisch, Lust und Schuld,
Der unbegreifliche Zwischenfall meines Lebens.

Ich bin über knisternde Treppen geschlichen,
Ich habe mit Frauen zusammengelegen,
Als es Fasching war und Mitternacht war schon vorüber,
Matrose und Colombine.
Meine Hand war unter dem Nacken der Freundin,
Das war in der Heide, und hoch stand die Sonne und schwarz
der Wacholder.
Warum muß man sie alle verlassen, von Abschied zu
Abschied
Durch labyrinthische Jahre? Da bleibt eine feine
Blutspur hinter dem Fuß. Aber man sieht sich nicht um ...
O du schwarzer Wacholder, dunkler Schatten des Glücks!
Ewiger Doppelgänger der Liebe: Tod.

Ein Schoß ist tiefer als das Meer,
Matrose und Colombine.
Die Lust ist Ewigkeiten schwer,
Matrose und Colombine.
Zum Grunde hin, vom Grunde her,

Das ist der Toten Wiederkehr,
Matrose und Colombine.
Ach Erde, wir vergessen dich nicht
Mit Mann und Weib und Wind und Licht,
Matrose und Colombine.

Das Sterben wird sein voller Angst und Gewalt:
Ein Schuß ins Genick, ein Autounfall, ein böses Geschwür,
Ein übermenschliches Knie auf der Brust. Man wird uns mit
Strenge
Würgen und abtun, ungeduldig und unter der Hand,
Wie man in Terrorkellern Gefangne erschießt.
Die Seele will nicht, will nicht! Irdischer Eigensinn
Klammert sich noch an die Welt. All das Verworrene,
Aufgehäufte, Verknotete, alles in Hoffnung und Ohnmacht
Ratlos Verstrickte, es will sich noch immer nicht lösen.
Niemals hat sie verstanden, was alles bedeuten soll,
Alles ist immer zu schnell gegangen, und niemals,
Niemals hat sie geliebt, und wann hat sie jemals erkannt?
Immer drängte die Zeit, drängten die Umstände, immer
Fehlte der Atem, die Freiheit, das alles zu sagen,
Was zu sagen nicht war. Am Ende schwieg man mit Toten.
So werden wir töricht, das Gesicht nach unten,
Zu all den andern in die offene Erde geworfen
Und sanfter auf den Grund des Seins gelegt.
Ist es denn wahr, was uns die andern sagen,
Daß wir hier wirklicher sind als oben im Licht?

HANS EGON HOLTHUSEN

Variationen über Zeit und Tod

I

Nun und nimmermehr sind wir im Fleisch. Einmal in
Ewigkeit
Steine im Brett für ein flüchtiges Spiel in der Zeit.
Zitternd regt sich die Liebe. Wir sagen uns Wünsche und Grüße,
Sagen: „Leb wohl", „Gute Nacht" und „Behüte Dich Gott!"
Zauberformeln gegen den Tod. Kleine, treuherzige Schwüre
Gegen die Angst, verloren zu sein. Wir wollen beweisen,
Daß wir zusammengehören. Wir wollen einander versichern,
Daß uns ein einziges Netz von Gegenwart alle umfängt,
Daß wir uns kennen von Ort zu Ort auf der Karte der Zeitwelt.
Wir versiegeln mit Küssen die Zeit; und die Siegel zerbrechen:
Briefe verschwinden auf brennenden Bahnhöfen, Schiffe
gehen verloren,
Vor einem Kap voller Hoffnung versinken sie gurgelnd
Zwischen zwei Brechern. Freunde werden in Rußland vermißt
(Bauchschuß, Fleckfieber, Hunger: wir werden es niemals
erfahren).
Vater und Bruder sind tot. Vor Jahren starb eine Freundin,
Der ich verschuldet sein werde bis an das Jüngste Gericht.
Vater und Bruder und Caesar, die todverbreitende Stimme,
Die über alle Sender der Welt bis an die Gestade der Südsee
drang:
Alle verschwunden im Tode. Und ganz allmählich ermüdet
Auch das Gedächtnis. Es welken die Photographien
Mit der vergangenen, sanft ins Groteske verzogenen Mode.
Stumm ist der Berg, der die Kinder von Hameln verschluckt hat.
Tränen versiegen und Schreie verwehn, und Verzweifelte
finden Zerstreuung.

Männer, einst barfuß im Schnee, mit Splittern im Kopf und nahe dem Wahnsinn,
Finden sich Zeitungen lesend und Karten spielend am Biertisch.
Stumm ist der Berg der Vergangenheit.

IV

Heute noch haben wir Welt vor Augen. Wir haben
Herbst, ein Gären im Blut von verlorner und kommender
Zeit und gelbe Kastanienblätter im Hof.
Alle stimmen darin überein, daß es schön ist, hinauszugehn.
Kinder, vier Jahre alt, kosten für eine Sekunde,
Was sie ein Leben lang suchen werden und niemals besitzen:
Herbst und Heimat, die Heimat im Staube, das Wohnen
Dicht an der Rinde der Erde, die vorgeburtliche Landschaft,
Bergland, Marsch oder Geest und schwärzlich gesprenkelten Sand,
Kopfsteinpflaster, Wacholder und Birken, eine einsame Straße
Quer durch die Heide, eine Magd in schwarzen, wollenen Socken,
Die Schürze voll Ziegengeruch ... Man nennt es im Alter die Kindheit.
Spät ist, nach durchregneter Nacht, die Klarheit des Morgens,
Süßer Moder, geklärt in der Luft, Oktober, Ariadne und Theseus,
Golden, ein Rondo von Mozart, eine goldene Figurine in Moll.
Dies ist die Zeit, in der eine Freundin aus einer anderen
Stadt, eine Freundin, deren letzten Brief du nicht beantwortet hast,
Sich von einer steinernen Brüstung hinab auf die Straße stürzt.
Niemand wird es erfahren, wie der Himmel sich damals verfärbte,

Wie alle Fenster sich glasig und frostig verschlossen,
Niemand wird wissen, wie an diesem Sonntag es möglich
war,
Daß aus dem goldenen Rondo der Tod erklang.

HANS EGON HOLTHUSEN

Todesfuge

Schwarze Milch der Frühe wir trinken sie abends
wir trinken sie mittags und morgens wir trinken sie nachts
wir trinken und trinken
wir schaufeln ein Grab in den Lüften da liegt man nicht eng
Ein Mann wohnt im Haus der spielt mit den Schlangen der
schreibt
der schreibt wenn es dunkelt nach Deutschland dein goldenes
Haar Margarete
er schreibt es und tritt vor das Haus und es blitzen die Sterne
er pfeift seine Rüden herbei
er pfeift seine Juden hervor läßt schaufeln ein Grab in der Erde
er befiehlt uns spielt auf nun zum Tanz

Schwarze Milch der Frühe wir trinken dich nachts
wir trinken dich morgens und mittags wir trinken dich abends
wir trinken und trinken
Ein Mann wohnt im Haus der spielt mit den Schlangen der
schreibt
der schreibt wenn es dunkelt nach Deutschland dein goldenes
Haar Margarete
Dein aschenes Haar Sulamith wir schaufeln ein Grab in den
Lüften da liegt man nicht eng

Er ruft stecht tiefer ins Erdreich ihr einen ihr andern singet
und spielt
er greift nach dem Eisen im Gurt er schwingts seine Augen
sind blau
stecht tiefer die Spaten ihr einen ihr andern spielt weiter
zum Tanz auf

Schwarze Milch der Frühe wir trinken dich nachts
wir trinken dich mittags und morgens wir trinken dich
abends
wir trinken und trinken
ein Mann wohnt im Haus dein goldenes Haar Margarete
dein aschenes Haar Sulamith er spielt mit den Schlangen

Er ruft spielt süßer den Tod der Tod ist ein Meister aus
Deutschland
er ruft streicht dunkler die Geigen dann steigt ihr als Rauch
in die Luft
dann habt ihr ein Grab in den Wolken da liegt man nicht
eng

Schwarze Milch der Frühe wir trinken dich nachts
wir trinken dich mittags der Tod ist ein Meister aus
Deutschland
wir trinken dich abends und morgens wir trinken und
trinken
der Tod ist ein Meister aus Deutschland sein Auge ist blau
er trifft dich mit bleierner Kugel er trifft dich genau
ein Mann wohnt im Haus dein goldenes Haar Margarete
er hetzt seine Rüden auf uns er schenkt uns ein Grab in der
Luft

er spielt mit den Schlangen und träumet der Tod ist ein
Meister aus Deutschland

dein goldenes Haar Margarete
dein aschenes Haar Sulamith

PAUL CELAN

IM FEUER

Epitaph

auf das Grab meines Paten,
des preußischen Generals der Inf.: H. K. v. R.

Friede, – dies sei mein erstes Wort, –
Aber nicht Friede von Gnaden anderer Völker,
Die sich vermessen
(Genau so vermessen, wie wir einstmals waren!),
Die Waage des Weltgeschicks in den Händen zu halten, –
Den Waagebalken nämlich bewegt ein Höh'rer,
Und das Zünglein, es schwankt immerfort,
Am Ende erst zeigt's auf die Mitte.

Friede, – dies sei mein zweites Wort, –
Liegnitz, Stadt du, von Blut gedüngt
Wie unzählige Städte anderen Namens:
Oh, – die Tataren, Hussiten, die Schweden, Franzosen,
Buonaparte, der Korse, oftmals vergeblich verflucht,
Blüchers regenbegünstigte Schlacht,
Als er Reiter und Fußvolk hetzte
Hin zum mörd'rischen Fluß, der sie alle verschlang . . .

Schon als Knabe gruben wir's aus,
In Schwemmsand und Lehmbank versteckt:
Gewehre und Bajonette, Kanonenkugeln und Riemzeug,
Vielleicht auch Gerippe,
Und wir lachten darüber,
Wir hatten vielfache Späße, –
Aber vom Lächeln der tausendjährigen Eichen,
Vom Lächeln des Knabenkrauts, des Türkenbunds
Und der leuchtenden Iris
Vernahmen wir nichts.

Neunzehnhundertunddreizehn:
Es träuft aus den Wolken,
Regen segnet die Erde,
Wir singen aus heiseren Kehlen
(Heiser, weil wir's so oft schon gesungen!),
Daß der Franzmann ein Feigling,
Und wir nur die Kriege gewännen,
Aber die goldene Nike versperrt voller Abscheu ihr Ohr ...
Siehe: in all ihre Falten und Falbeln gehüllet,
Schwebt sie davon und verlässet die Stätte der Siege,
Da sie so oft schon gewohnt. –

Friede, Friede, – mein letztes,
Sogar mein einziges Wort,
Wenn vielleicht ohne Gewicht, –
Klingendes Spiel und die stolzen
(Infanterie: Zweites Westpreußisches Nummero VII)
Königsgrenadiere und alle die Schlachten,
Blut und Eiter und Tod,
Ja, die Schlachten,
Und der Prinz aus dem Hohenzollernschen Haus,
Selbst der gefallene Sohn,
Den die Heilige Hedwig aus Andechs gebar ...

Alles umsonst und vergebens,
Denn immer noch graben
Spielende Kinder nach rostigen Waffen, –
Doch die Grube vergeht,
Denn da naht schon der Bauer
(Von Vögeln umpickt und begleitet von scharrenden
Hühnern),
Achtlos pflügt er sie zu ...

HORST LANGE

Die Ballade von den Goslarer Jägern

Überm Grün der Jägerjacken
Wehn des Mohnes rote Mützen.
Sonne lagert uns im Nacken,
Doch wem kann solch Lager nützen?
Morgen heißt es: Zelte packen!
Übermorgen: Halt, ihr Schützen!
  Und wo sind wir? frag ich dich,
  Und dasselbe fragst du mich.

Vor 'ner braunen Hügelwelle
Liegt ein Dorf mit blanken Dächern.
Manche rennen dort zur Quelle,
Kommen mit gefüllten Bechern.
Schon erhebt sich ein Gebelle,
Drauf ein Dröhnen, hoch und blechern –
  Ob es losgeht? frag ich dich,
  Und dasselbe fragst du mich.

Wenn wir wüßten, was wir sollten,
Wär das Leben halb so prächtig.
Wenn wir täten, was wir wollten,
Wär der Hauptmann halb so mächtig.
Besser liegt sichs unbescholten
Unter Birken mitternächtig.
  Hast noch Zwieback? frag ich dich,
  Und dasselbe fragst du mich.

Andern Tages treibt sichs besser,
Denn der Russe weicht nach Osten,
Möchte unsre langen Messer

Nicht mehr vor dem Stochod kosten.
Abends zeigt sich ein Gewässer.
Hört mal her: Wer geht auf Posten?
  Wir zusammen? frag ich dich,
  Und dasselbe fragst du mich.

Und das Grün der Jägerjacken
Hat der Sommer ausgebacken,
Und des Mohnes rote Mützen
Trieben fort im Blut der Pfützen.
Plötzlich heißt es: Zelte packen!
Morgen Abtransport, ihr Schützen!
  Richtung Westen? frag ich dich,
  Und dasselbe fragst du mich.

Wenn wir wüßten, was wir sollten,
Wär das Leben halb so prächtig.
Wenn wir täten, was wir wollten,
Wär der Hauptmann halb so mächtig.
Einmal ruhn wir unbescholten
Unter Kreuzen mitternächtig,
  Und nie wieder fragst du mich,
  Was du wissen willst für dich.

Am Feuer

Septembernacht. Land zwischen Maas und ihren Bächen;
    Kartoffelfeuer, quer überritten, wüst zerstampft,
    zertreten.
Wer kennt sich aus? Wer war schon hier, allein, mit Damen,

braunen Hunden? Fern: Wälder, Hügel, Allerlei,
Gestirne, Tote,
Gejohl der Reiter, dreckig, wundgeritten. Verdammt
ruchloser Mund der dumpfen Melodie vom frühen
Morgenrote! –
Ein Pferd bricht wiehernd auf, trabt gegen Norden ... Ich
möchte aufstehn, auf die Knie falln und beten,
Ich möchte Sterne zählen, blaue, grüne, goldne in der großen
Mitternacht; Gewitter sehen, wie sie sich verspritzen,
Westlich, im Sturmwind, violetten – Wer reitet ein?
Schwadronen, Jäger, in den Sätteln schwankend,
halbdunkel, riesige Gestalten;
Batterien, Train. Zahlreich, fortdauernd, endlos. – Wir
wollen schlafen, leblos sein, erkalten
Im feuchten Talwind, betropft vom Flankenschweiß der
Gäule, die in die Finsternis unruhig und wachsam
braune Ohren spitzen.
Wir wollen träumen: Gold, Gelächter, Frieden, Tage hell
und weiß, wir wollen träumen: fernes, warmes Land,
Sanddünen, Meer und Segel; wir wollen gehn im Traum
mit wunderbaren Frauen
Und heitren Kindern! Vor uns die hundert Feuer züngelnd,
klein, gespenstisch, zuckend, in ihrem Rauch
Fühle ich nichts als dies: Gestirne abenteuerlich unruhig an
einer schwarzen, ausgespannten Himmelswand,
Als leichten Wind in meinem Haar, im Bogen meiner
langgewachsnen Brauen,
Gestöhn der Schläfer, Rot der Flammen und kalte Erde
unter meinem Bauch.

ANTON SCHNACK

Morgen bei Brieulles

Maas wie ein Silberstrich gezogen hell im Tal, das Demut ist. Im Grund ein Strand voll Weiden. Gezelte noch im Schlaf, ein früher Reiter
In schnellem Trab, in Dunst und Ferne. Und Wiesen, südlich, Reiher, verzankte Krähen. Wind überall, Wind in den Segeln, Wind in Fahnen,
Wind an den Schnüren. Ein Rauch im Ost, steil aufgestiegen, dann gedrückt grauflatternd. Es dröhnt ein Lärm wie von der Fahrt von vielen Bahnen.
Frontwärts der Zorn, das Rollen dunkler Schlachten im Raum der Wälder, am Fuß des Forts. Töne, wie Tore zugeschlagen. Es legt sich nasser Nebel, breiter,
Zerflatterter. Es legt sich Stille tief, es legt sich Mond in fahlen Himmelsabgrund, wo Vögel kreisen hoch und wie vertrieben. Dann rot und golden
Fluß und die Furt, Riß ferner Stadt, dann hell versilbert, dann wunderbar verschönt das Gras, die Gräber, die Gewerke. Kolonnen rollten
Aus alten Ställen, fahrend in Glanz, gewichtig glühend. Fuhren zu Tal, verschwanden bald, zerstampften zärtliche Gewächse, Grund.
Dann Wassersäulen, Lärm. Winziger Fliegerwuchs in frisches Blau. Ballone nah den Sternen, matten, morgendlichen; zuweilen noch der große Mörsermund.
Zuweilen noch der Rand voll Blitze. Türme gebohrt ins Morgendliche, Schlösser wie Schliffachat, verlächelt, frauenhaft,
In guten Gärten voll Zypressenstrauch, voll Zauberei, verlornen Liedern, voll dem Gesicht der Gräfin, gütig, müd . . .

Gesänge, dunkel. Wußte wer von wem? Gewiß das
Heimweh aus besorgtem Herz, da eine Mühle lag am
Bach, mit Wehren, schwarz gefault, voll Moos,
Verschwiegen, ältlich, ohne Räderlärm. Da eine Schmiede
Feuer warf und klirrend hämmerte, da oben rauschte
von Reihern Wanderschaft.
Und immer Wind, Wind fröhlich fahrend. Hügel wie
heimwärts: sanft, voll Süßigkeit, mit Hecken. Rauch,
blau und grau; aus welchem Dach geblüht?
Aus allen Dächern, säulend. Aus allen Schlöten, schlank.
Aus Brunnen sprudelnd Quell, der Rosse Trank. Die
Front flucht donnernd wieder. Die Sonne steigt gewaltig,
übermächtig, groß.

ANTON SCHNACK

Cap de Bonne-Espérance

Am Kap da steht ein Häuschen
Zu täglichem Gebrauch,
Da wohnen keine Mäuschen
Und keine Ratten auch.

Das Häuschen, schief und putzig,
Von Splittern ganz durchsiebt,
Erlauf ich und benutz ich,
So oft es mir beliebt.

Ich sitze da und spähe
Bequem durch jede Wand:
Geschütze in der Nähe
Und tief verschneites Land.

Und sitze da ganz eilig
Im windigen Privé
Und schaue hundertteilig
Die Hoffnung und den Schnee.

Die Hoffnung geht in Scherben.
Dreckerde fliegt und Schnee.
O Sterben und Verderben
Im windigen Privé!

GEORG VON DER VRING

Erinnerung an die Hundemarke

Sieben Dutzend junge Leute –
wer da dreißig zählte, schien uns alt,
wer da vierzig, schon hinabgestorben,
und wer tot war, hundertfältig tot.

Sieben Dutzend junge Leute,
ritten wir die Pferde in die Schwemme,
war es Weichsel oder Bug,
sieben Dutzend Pferdeleiber,
naß und glatt wie Wasserweiber –
wild vom Himmel troff die weiße Sonne,
auf der Strömung blitzten weiße Kämme,
in der Strömung jauchzte weißes Fleisch,
trunken von der blanken Sonne,
trunken von den blanken Tieren,
trunken von der blanken Flut.

Unsre Gäule prusteten und schnoben,
unsern Lungen tat kein Schrei genug.

Klatschend schlugen wir nach Wassermücken,
warfen uns mit Tang und Algen,
spritzten uns und lachten wie die Teufel,
kindisch stritten wir und rangen,
gröhlten, sangen,
und mit Kreischen, Zerren, Balgen,
Stoß und Toben
rissen wir uns von den Pferderücken.
Nur wer rasend um sich schlug,
hielt sich oben.

Trieb ein Toter da vorüber,
schwärzlich und verzerrt.
Einer schrie ihn an: „He, alter Boy!
Fauler Hund, die Ohren aufgesperrt!
Wandrer, treibest du nach Weichselmünde,
so verkünde ...
Gruß der Ostsee! Schiff ahoi!"

Und ein andrer: „Alte Vogelscheuche,
Mensch, hör auf, zu träumen und zu grinsen!
Zwischen Schilf und Wasserlinsen
gehst du plötzlich in die Binsen,
hängst du fest am Ufer im Gesträuche,
wo die Wimmelbrut der Ratten wohnt!
Deine Olle guckt dann in den Mond!"

Sieben Dutzend junge Leute –
wer da dreißig zählte, schien uns alt,
wer da vierzig, schon hinabgestorben,
und wer tot war, hundertfältig tot!
Was da treiben will, das treibe,

wer da treibt, der treibe weiter!
Strom und Sommer sind geschwind,
abgetrieben, abgeschrieben –

Aber wir, wir waren sieben,
sieben Dutzend junge Reiter,
weiß und goldgebräunt und rot,
nichts am Leibe
als die Tropfen und den Sonnenwind –
halt, noch eins: die kleine, runde,
blechne Scheibe
– wie daheim die Hunde –

Wer sie trägt, der braucht kein Totenbett,
allenfalls
irgendwo im Lazarett,
wer sie trägt, der pfeift auf alle Dinge,
und sie ist, bei Gott, kein Amulett.
Schaukelnd hängt sie an der nassen Schlinge,
Schlinge um den Hals.
Schlinge, festgedreht aus schwarz und weißen,
hänfnen Schnüren.
Weil die Preußen
Schwarz und Weiß in ihren Fahnen führen.

WERNER BERGENGRUEN

Legende vom toten Soldaten

Und als der Krieg im vierten Lenz
Keinen Ausblick auf Frieden bot
Da zog der Soldat seine Konsequenz
Und starb den Heldentod.

Der Krieg war aber noch nicht gar
Drum tat es dem Kaiser leid
Daß sein Soldat gestorben war:
Es schien ihm noch vor der Zeit.

Der Sommer zog über die Gräber her
Und der Soldat schlief schon
Da kam eines Nachts eine militär-
ische ärztliche Kommission.

Es zog die ärztliche Kommission
Zum Gottesacker hinaus
Und grub mit geweihtem Spaten den
Gefallnen Soldaten aus.

Der Doktor besah den Soldaten genau
Oder was von ihm noch da war
Und der Doktor fand, der Soldat war k. v.
Und er drückte sich vor der Gefahr.

Und sie nahmen sogleich den Soldaten mit
Die Nacht war blau und schön.
Man konnte, wenn man keinen Helm aufhatte
Die Sterne der Heimat sehn.

Sie schütteten ihm einen feurigen Schnaps
In den verwesten Leib
Und hängten zwei Schwestern in seinen Arm
Und ein halb entblößtes Weib.

Und weil der Soldat nach Verwesung stinkt
Drum hinkt ein Pfaffe voran
Der über ihn ein Weihrauchfaß schwingt
Daß er nicht stinken kann.

Voran die Musik mit Tschindrara
Spielt einen flotten Marsch.
Und der Soldat, so wie er's gelernt
Schmeißt seine Beine vom Arsch.

Und brüderlich den Arm um ihn
Zwei Sanitäter gehn
Sonst flög er noch in den Dreck ihnen hin
Und das darf nicht geschehn.

Sie malten auf sein Leichenhemd
Die Farben Schwarz-Weiß-Rot
Und trugen's vor ihm her; man sah
Vor Farben nicht mehr den Kot.

Ein Herr im Frack schritt auch voran
Mit einer gestärkten Brust
Der war sich als ein deutscher Mann
Seiner Pflicht genau bewußt.

So zogen sie mit Tschindrara
Hinab die dunkle Chaussee
Und der Soldat zog taumelnd mit
Wie im Sturm die Flocke Schnee.

Die Katzen und die Hunde schrein
Die Ratzen im Feld pfeifen wüst:
Sie wollen nicht französisch sein
Weil das eine Schande ist.

Und wenn sie durch die Dörfer ziehn
Waren alle Weiber da
Die Bäume verneigten sich, Vollmond schien
Und alles schrie hurra.

Mit Tschindrara und Wiedersehn!
Und Weib und Hund und Pfaff!
Und mitten drin der tote Soldat
Wie ein besoffner Aff.

Und wenn sie durch die Dörfer ziehn
Kommt's, daß ihn keiner sah
So viele waren herum um ihn
Mit Tschindra und Hurra.

So viele tanzten und johlten um ihn
Daß ihn keiner sah.
Man konnte ihn einzig von oben noch sehn
Und da sind nur Sterne da.

Die Sterne sind nicht immer da
Es kommt ein Morgenrot.
Doch der Soldat, so wie er's gelernt
Zieht in den Heldentod.

BERTOLT BRECHT

Mein Bruder war ein Flieger

Mein Bruder war ein Flieger
Eines Tags bekam er eine Kart
Er hat seine Kiste eingepackt
Und südwärts ging die Fahrt.

Mein Bruder ist ein Eroberer
Unserm Volke fehlt's an Raum

Und Grund und Boden zu kriegen, ist
Bei uns ein alter Traum.

Der Raum, den mein Bruder eroberte
Liegt im Quadaramamassiv
Er ist lang einen Meter achtzig
Und einen Meter fünfzig tief.

BERTOLT BRECHT

General

Meine Herren –: Stichwort: Reginald!
Spannungsstufe III, Sofortmaßnahmen –!
Zwanzig Uhr Verladung der beschleunigten Divisionen!

Wozu die ganze Chose in Bewegung geht –
keine Fragestellung! Geschieht!
Spähtrupps, mechanisierte Abteilungen,
mot.-, t-mot.-, Raupenschlepper
durch die blaue Zone,
wo die Maschinen schweigen müssen,
die letzten zweihundert Meter
für die Infanterie!

Vernichtung! Ein Rausch die Gräben!
Wenn Sie wollen, vorher doppelte Rumration.
Hinweis auf die Feldpolizei.
Gefangene – Sie verstehn! Auf keinen Fall schriftlichen
 Befehl darüber!
Der Materialwert der Angrenzerländer

ist Reichsmark 10 000 für den Morgen,
in der Avenue de l'Opéra und den Docks von Bizerta
wesentlich höher,
demnach Bomber nie zum Luftkampf
alle Last auf Produktionszentren!

– Jemand noch eine Frage? *Kriegserklärung?*
meine Herren, auf der Reede von Tschemulpo
versenkten 1904 acht dreckige Japszerstörer
die halbe russische Kriegsflotte
mitten im heitersten Frieden
frühmorgens, als die Brötchen ausgetragen wurden,
dann machten sie leider kehrt, statt zu vollenden:
das wird nie wieder vorkommen!
Einbrechen! Lost über das eingesiedelte Ungeziefer!
Steilfeuer! Sauerstoff an die Tresors!
Kostenanschlag – möchte ich sagen,
und dann bedienen wir die Maschinen!

Meine Herren – Sieg! Pylone, wenn Sie heimkehren
und ein ewiges Feuer den Toten!
Halsorden! Beinamen wie: „Löwe von –",
Nachrufe mit Stabreimen wie: „in Frieden und Front –",
Kranzschleifen bei Todesfall, Lorbeer, Mythen –!

Ich danke Ihnen, meine Herren! Für die Jüngeren:
beim letzten großen Ausmarsch war *ich* Zugführer!
Hier spricht ein Herz!
Vernichtung!
Und wer mich sucht,
im Gegensatz zum Weltkrieg
bei Kampfwagenangriff
im vordersten Tank! –

GOTTFRIED BENN

Der junge Soldat

Als er vom Begräbnis seiner sieben Kameraden zur Front zurückging

In die Blumen ihrer Haare
rieselte die listge Erde.
Auf die Särge ihrer Brust
klopften unsre stummen Würfe.
Sieben gelbe, warme Gräber
trocknen in der Julisonne.

Wiesenweg durch heißen Mohn.
Wälderweg durch kalte Tannen.
Weg, der blind im Sumpf ertrinkt.
Ungewisser Minenweg –
Dann vorbei an hellen Hütten.
Vorhangfalten, Fensterglas.

Beerentrauben in den Gärten.
Rosen, Gladiolengarbe.
Brunnen, dran der Eimer schwappt.
Vor den Zäunen steife Mädchen.
In die Löcher der Pupillen
Haß, vom Schreck hineingebohrt.

Trauer durch den Sommer tragen,
Schultergurt und rauhes Tuch.
Handgranate, Spaten, Helm,
Das Gewehr und die Geschosse.
Messer, eingekerbt die Rille,
für das Blut der stumpfen Rücken.

Sieben fette Krähen wehen
aus den Ästen roter Föhren.
Sieben schwarze Federn fallen
in die Raupenspur des Tanks.

HANS BENDER

Kosaken

Weizenfarben schnellt der Tod
von den Säbeln der Kosaken.
Rauch steht über der Ukraine
und der Wind spricht mit den Gräbern.

Himbeerwolken, Knoblauch, Wodka,
Sporn und scharfer Schweiß der Pferde.
Von den Juchtenlederstiefeln
tropft das schwarze Fett der Erde.

Selbst die Schatten ihrer Lanzen
machen alle Bäche frösteln.
Wem muß ich die Stiefel küssen,
daß sie nicht mein Feld zertreten?

Licht, zerfetzt von Knutenschlägen,
sind die Augen meiner Mutter.

Wind steht über der Ukraine,
der mit meiner Erde spricht.
Wann werd' ich den Weizengarben
deine Augen wiedergeben?

GEORGE FORESTIER

Die Katzen

Für Alfred Kubin

Der Wind drängt die zerbrochnen Türen
Ins leere Haus hinein,
Der Wind will meine Schritte führen,
Ich trete zögernd ein,
Die kalten Wirbel schweifen
Um Tisch und Stuhl und Spind
Und rühren Band und Schleifen,
Der Spiegel ist schon blind.

In fahler Runde hallen Schüsse,
Ich trag den Krieg mit mir,
Ich sä den Krieg, als fielen Nüsse
Auch in der Stille hier,
Im Stall die toten Fohlen
Warn ganz verrenkt und glatt,
Jetzt lausche ich verhohlen,
Da raschelt nur ein Blatt.

Der Frost zerfraß die grünen Pflanzen,
Die in den Töpfen stehn,
Bald werden graue Flocken tanzen
Und durch die Fenster wehn,
Schon stäubt die Winterasche
Auf jedes bunte Bild
Aus des Oktobers Tasche,
Der ist nicht sanft und mild.

Die Dämmrung füllt das trübe Zimmer
Wie Sporen den Bovist,

Wo sonst am Ofen Feuerschimmer
Und lauliches Genist,
Da spinnt ein eisger Schatten
Nun Bank und Schemel ein,
Ich fühl den Puls ermatten
Und hör die Katzen schrein.

Die harte Krall in weichen Sohlen,
So glitten sie heran,
Lautlos, auf lockren Dielenbohlen,
Mit einem bösen Bann,
Ich lehne an dem Pfosten,
In Händen das Gewehr,
Die Katzen sind wie Posten
Und dulden mich nicht mehr.

Die Frauen aus den blassen Bildern,
Sie lächeln ihnen zu,
Der Bauer lacht, weil sie verwildern
In Bett und Häckseltruh,
Ich kann es nicht vernehmen,
Doch spür ich, wie es lacht,
Hier ist nichts mehr zu zähmen,
Ich gehe in die Nacht.

HORST LANGE

Aus: Ballade vom verschütteten Leben

I

Fünfmal war der Frühling vergeblich gekommen.
Der sechste war mächtig. Bäche
brachen verjüngt aus den Wäldern,
Bäche von Schweiß aus den Achseln
flüchtender Männer, Tränenbäche
aus den Augen der Fraun und letzte
Rinnsale Bluts aus noch winterlich hassendem,
tauendem Fleisch der Kinder des Staubes.

Hier noch und dort
trieben, wie Schollen Eises,
versprengte Armeen im Golfstrom des Sieges;
Schollen, bemannt mit Enterbten, Verdammten,
an die Schlacht wie an eine Galeere gefesselt,
die leck ist: Kinder,
die ihr Geschlecht noch nicht kannten,
alte Männer, die jetzt ihres Gartens gedachten,
wahllos zusammengewürfelte Haufen, einig
nur im gemeinsamen Nenner: als Letzte
fordern zu müssen, was schon verneint war.
Wähle aus diesen, wähle willkürlich
sechs und denke: sie haben
vor sich die frühlingsbewegte,
aber noch eisige See (schon Tausende
hat sie gefressen), im Rücken,
rückwärts *und* seitwärts den Feind.
Sie haben
ein paar Schüsse im Gurt, zwei Pistolen.

Hinter ihnen, von rechts und von links,
rollen die Panzer; Geschütze und Bomber
halten Visier auf die Reste von Leben.
Und nun öffne,
wie zur Rettung, verstohlen den Ausweg.
Einer von ihnen,
ein Schreiber, weiß ihn. Verlaß dich
auf seine Weisheit. Er hat sie
über den Gaumen studiert,
schon in ruhigen Tagen. Manchmal
hat er Empfangenes quittiert (oder nicht).
Zu erinnern – welches Er-innern!
– brauchst du ihn nicht. Er hat schon
diesen Kitzel am Gaumen, der dicht vor dem Tode
noch die Greisin befällt. Eine Pfütze
künftiger Wollust bildet sich unter der Zunge.
Er winkt nur.

Warte geduldig. Sie finden
sicher den Weg und die Türe.
Ist hier nicht alles zu finden:
Deckung und Rast – und die Fülle
des Seltnen und Unverhofften,
Hades-kühlender Schatten,
Früchte des Paradieses . . .?
Sie treten, leichter atmend, erlöst fast
durch die nüchterne Pforte, darüber,
unlesbar, die Inschrift vermerkt ist:
Lasciate ogni speranza . . .

Kisten sind da gestapelt, mit Kognak aus Cognac,
rotbraunem Medoc, Vin du Bourgogne,

die erlesensten Arten, Labsal für
Kronen und Päpste, eifersüchtig
gehüteter Schlaftrunk von ratlosen
Stabsoffizieren; Säcke aus Costa Rica,
Whisky aus London, Zigarrn, Zigaretten,
Fässer mit Schmalz und wagenrad-große
Käse; Konserven, Speckseiten – leise
schaukelnd im Luftdruck springender Bomben –,
zwei richtige Schinken . . . Dahinter,
wie ein Kugelfang gegen Hunger,
ungezählte Säcke mit Mehl,
weißem, staubigen Mehl, mehligem Staub,
Berge von Staub . . .

Eins, zwei, drei, vier, fünf, sechs Mäuse,
entronnen den mit Kadavern und Opfern
der Rasse gefüllten Trichtern und Gräben,
in einer riesigen Kammer aus Stahl und Beton
endlich geborgen! – mit sträubendem Barthaar
und fiebrigen kleinen Augen,
die Zunge zwischen den Schneidezähnen,
vor der Schlaraffen-Falle
des Schicksals. –

Stiefeltritte. Krachende Kistendeckel.
Abgeschlagene Flaschenhälse, und glucksend
stürzt der Rausch aus den Flaschen. Eine
schmutzige Hand zieht ein Messer, säbelt
sechs halbpfund-schwere Scheiben von Schinken,
verteilt sie. (Indessen oben,
tausend, zwölfhundert Meter höher, eine
sauber gewaschene andere Hand

Bomben ausklinkt.) Und noch ehe
die ins Fleisch geschlagenen Zähne
den Fetzen an sich gerissen,
springt
die tödliche Feder vom Bügel,
„Klapp!" sagt die Falle und hat sie.

Manchmal bewegt ein Augenwink Gottes
Meer und Vulkane – leise, unhörbar;
aber das gellende, polternde Echo
vernimmst du.

Mitten im Biß hieb die Luft sie zu Boden.
Es tanzte der Bunker. Stahl und Beton
rissen gewaltig an ihrer Umarmung.
Zwei, drei aus der Reihe fallender Bomben
zerkrachten, zerspellten das feste Gefüge,
begruben mit Bergen von Schutt und Gemäuer,
verbogenem Stahl und kittendem Erdreich
den Gang und die Pforte.

Leise schlug die zerrissene Luft
über dem Hügel zusammen, wie Wasser
über versinkenden Schiffen.
Unten, unter dem Hügel,
rieselte, wallte und schwebte
pudriger Staub durch die Kammer,
farblos im Dunkel, das wie ein Tuch
alles bedeckte, den Speck und die Mäuse, –
Staub von Gestern und Heute und Morgen.
Staub. Zeitloser Staub.

. . . RUDOLF HAGELSTANGE

Paul

Neunzehnhundertsiebzehn
an einem Tag unter Null geboren,

rannte er wild über den Kinderspielplatz,
fiel, und rannte weiter,

den Ball werfend über den Schulhof,
fiel, und rannte weiter,

das Gewehr im Arm über das Übungsgelände,
fiel, und rannte weiter

an einem Tag unter Null
in ein russisches Sperrfeuer

und fiel.

RAINER BRAMBACH

Der lag besonders mühelos am Rand

Der lag besonders mühelos am Rand
Des Weges. Seine Wimpern hingen
Schwer und zufrieden in die Augenschatten.
Man hätte meinen können, daß er schliefe.

Aber sein Rücken war (wir trugen ihn,
Den Schweren, etwas abseits, denn er störte sehr
Kolonnen, die sich drängten) dieser Rücken
War nur ein roter Lappen, weiter nichts.

Und seine Hand (wir konnten dann den Witz
Nicht oft erzählen, beide haben wir
Ihn schnell vergessen) hatte, wie ein Schwert,
Den hartgefrorenen Pferdemist gefaßt,

Den Apfel, gelb und starr,
Als wär es Erde oder auch ein Arm
Oder ein Kreuz, ein Gott: ich weiß nicht was.
Wir trugen ihn da weg und in den Schnee.

WALTER HÖLLERER

Im fremden Land

Am Koppel schwarze Flaschen,
die Augen aus Metall:
bewahren sie im raschen
Ohr der Lüfte Schall.

Und schlagen an dem Boden
flache Messer krumm,
ziehn Nesseln aus den Soden
und sehnen sich nach Rum.

Die Hitze beizt die Kehlen,
macht die Bärte rauh –
sie laden und sie fehlen
die Tauben, zart im Blau.

Das Blau, durch das sie flöten
mit einem spröden Mund,
wenn sie die Träume töten:
die Rosen auf dem Grund

des Mittags. Drähte stücken
sie in gebücktem Lauf,
und hinter ihren Rücken
fahren Blitze auf.

GERHARD NEUMANN

Der Rückzug

I

Ich sah des Krieges Ruhm.
Als wärs des Todes Säbelkorb,
durchklirrt von Schnee, am Straßenrand
lag eines Pferds Gerippe.
Nur eine Krähe scharrte dort im Schnee nach Aas,
wo Wind die Knochen nagte, Rost das Eisen fraß.

III

Am Bahndamm rostet das Läutwerk.
Schienen und Schwelle starren zerrissen,
zerschossen die Güterwagen.

Auf der Chaussee,
den Schotter als Kissen,
vom Sturz zersplitterter Pappeln erschlagen
liegt eine Frau im schwarzen Geäst.

Noch klagt ihr Mund
hart an der Erde.
In offene Augen
fällt Regen und Schnee.

O Klage der Mütter,
nicht löschen die Tränen
die Feuer der Schlacht.

Hinter der Hürde des Nebels,
Schnee in den Mähnen,
weiden die toten Pferde,
die Schatten der Nacht.

PETER HUCHEL

Ein bleicher Troß, heimwärts

Zigeunerhunde waren
Ihnen zugesellt,
Anruf von Janitscharen,
Ein Schuß, der tief im Dämmern fällt,
Ein Mädchen, das im Schreiten
Die Last der Körbe wiegt –
Über die weiten, weiten
Felder der Kranich fliegt.

Über die weiten, weiten
Wiesen ein Kranich schreit.
Pferdewiehern, reiten,
Halme im Kleid,
Mit ungarischen Bauern
Über Mais, über Rohr,
Und immer im Mund den sauern
Wein und den flirrenden Ton im Ohr.

WALTER HÖLLERER

Der Geier

Als der scheckige Geier,
über den Gräben hin und her fliegend,
mit Lautsprecherstimme krächzte:
sie sollten den Mut nicht sinken lassen,
weder wanken noch weichen, sondern
sich fertig machen zum Sturm,
streckten die Soldaten bereits die Zungen heraus
und machten andre unanständige Gebärden.
Aber die Waffen streckten sie nicht.

MICHAEL GUTTENBRUNNER

Bericht

Bajla Gelblung,
entflohen in Warschau
einem Transport aus dem Ghetto,
das Mädchen
ist gegangen durch Wälder,
bewaffnet, die Partisanin
wurde ergriffen
in Brest-Litowsk,
trug einen Militärmantel (polnisch),
wurde verhört von deutschen
Offizieren, es gibt
ein Foto, die Offiziere sind junge
Leute, tadellos uniformiert,
mit tadellosen Gesichtern,
ihre Haltung
ist einwandfrei.

JOHANNES BOBROWSKI

Olmütz 1942-1945

vom bischofsberg die haube –
verwest denn hier kein stein?
das kind spielt in der laube
– ein wappenbild mit taube –
das kind spielt: ich bin klein.

die mutter springt ins feuer,
die gasse stülpt sich um –
ein bischof im gemäuer
speist säulenungeheuer –
das kind spielt: ich bin dumm.

der vater bannt das wasser,
der sprungreif bricht entzwei –
ein schwarzer aderlasser
versammelt tausend hasser –
das kind denkt zweierlei:

es denkt: die wassergasse
der fluß erstarrt zu stein
und eine winterblasse
prinzessin taucht hinein.

es denkt: die flüchterflüche
nun wandert auch das haus.
der zaubrer in der küche
spült jedes lächeln aus.

vom bischofsberg der segen –
kein bild wird jetzt gemalt.

wir wollen die puppen in gräber legen
und unsern knochenmann freundlich pflegen –
das kind spielt: ich bin alt.

PETER HÄRTLING

Bericht des Pfarrers vom Untergang seiner Gemeinde

Da Christus brennend sank vom Kreuz – o Todesgrauen!
Es schrien die erzenen Trompeten
Der Engel, fliegend im Feuersturm.
Ziegel wie rote Blätter wehten.
Und heulend riß im wankenden Turm
Und Quadern schleudernd das Gemäuer,
Als berste des Erdballs Eisenkern.
O Stadt in Feuer!
O heller Mittag, in Schreie eingeschlossen –
Wie glimmendes Heu stob Haar der Frauen.
Und wo sie im Tiefflug auf Fliehende schossen,
Nackt und blutig lag die Erde, der Leib des Herrn.

Nicht war es der Hölle Sturz:
Knochen und Schädel wie gesteinigt
In großer Wut, die Staub noch schmolz
Und mit dem erschrockenen Licht vereinigt
Brach Christi Haupt vom Holz.
Es schwenkten dröhnend die Geschwader.
Durch roten Himmel flogen sie ab,
Als schnitten sie des Mittags Ader.
Ich sah es schwelen, fressen, brennen –
Und aufgewühlt war noch das Grab.
Hier war kein Gesetz! Mein Tag war zu kurz,
Um Gott zu erkennen.

Hier war kein Gesetz. Denn wieder warf die Nacht
Aus kalten Himmeln feurige Schlacke.
Und Wind und Qualm. Und Dörfer wie Meiler angefacht.
Und Volk und Vieh auf enger Schneise.
Und morgens die Toten der Typhusbaracke,
Die ich begrub, von Grauen erfaßt –
Hier war kein Gesetz. Es schrieb das Leid
Mit aschiger Schrift: Wer kann bestehn?
Denn nahe war die Zeit.

O öde Stadt, wie war es spät,
Es gingen die Kinder, die Greise
Auf staubigen Füßen durch mein Gebet.
Die löchrigen Straßen sah ich sie gehn.
Und wenn sie schwankten unter der Last
Und stürzten mit gefrorener Träne,
Nie kam im Nebel der langen Winterchausseen
Ein Simon von Kyrene.

PETER HUCHEL

Bericht

Die Purga zerstört den Pfau, die Rose, die Sonne,
Die Flöte und die schwatzhafte Einsamkeit,
Die lauernd mich in den Baracken umstellt.
Zerstört ist der Pfau, die Rose, die Sonne.

Die Purga zwingt mich zu trinken den Staub,
Den die Stille ausschickt, damit in das Knistern
Sich mischt das Gebell der verendenden Hunde,
Zwingt mich die Purga zu trinken den bläulichen Staub.

Die Purga fürchten Ren und Wolf und Grasfisch,
Die immer noch den Regen aus Wald sich erhoffen,
Solange frostiges Messer das Tundrakraut köpft,
Fürchten Grasfisch und Wolf und Ren noch die Purga.

Die Purga, das ist der noch größere Tod,
Und es sei ein Geschehnis berichtet:
Daß ein Zug mit Gefangenen überrascht wurde
Von der eisigen Purga, dem noch größeren Tod.

Man fand sie erst bei der Schneeschmelze auf,
Vierzig Sträflinge und acht Wachsoldaten,
Die ohne Haß sich im Tode umarmten,
Fand man erst bei der Schneeschmelze auf.
(Purga = polarischer Schneesturm)

HORST BIENEK

Die Verstreuten

Wir haben Wind unter den Sohlen.
Wir haben Wind im Nacken.

Des Nachbarn Stimme fing sich in Netzen Schnees.
Da stopften wir Silber und Brot in die Säcke, entriegelten die
Tür.
Als die Nacht anhub zu flackern, liefen wir waffenlos zu den
Ställen
und hinaus auf Straßen von wandernden Ratten.

Zerstoßenes Blech und Kälte: das Land der Geschlagenen.
Wir fuhren im Schritt. Ein Mädchen kam nieder
zwischen den Speichen. Ein Blinder stolperte hinter Leuten
an einem Strick und schrie in den Schneefall: Wo sind wir?

Wir müssen vor den Kreuzungen warten.
Wir besitzen keine Dokumente.

Mancher starb kauernd – im Hader über seine verendeten Pferde,
mancher streckte sich schweigsam und mild unter Planen.
Und als wir einzeln eine getroffene Brücke passierten,
waren viele im Eis zu sehen, grün und wie schwebend.

Der Himmel ein Sieb, und hinter den Karawanen
aus Leiterwagen und Kutschen wurde es still,
ein zugiger Horizont blieb zurück, auf dem wir biwakiert,
der Schläfer, froststeif, der die Verfolgung nicht mehr fürchtete.

Wir dürfen kein Feuer machen.
Wir dürfen den Zug ohne Erlaubnis nicht verlassen.

Man rief mich: „Erzähle! Wir wissen zu wenig von jenen,
die im April eines frommen Jahrhunderts sich aufgemacht
hatten,
um ihre Reiche – zwölfhundert Ruten Wildnis – zu roden,
vom Mehl der Gebeine auf unseren Friedhöfen erzähle!"

Ich sagte zu ihnen: Es war ein Volk, das auszog
nach dem gelobten Land und es nicht fand und verdarb. –
„Narr, sie erreichten es – süß und barbarisch zwischen
Wasserbächen!

Wir aber müssen nun unsre frühere Heimat erkunden."

Wir beugen die Rücken unter leichte Lasten.
Wir nähren uns von Schnee und Vögeln.

Unsere Scharen lichteten sich und warfen nur dünne
Schatten.
Einer verlor den andern. Der Osten – wie eine feurige
Sage –
ging hinter Armeen zugrunde. Jammer war er
und Aschenflug über der Öde und dunkel wie einst.

Doch holte uns ein, der einen Knaben führte: ein rüstiger
Mann,
den Waffenrock heftig von Sommern versengt
und einen Alten, den schlaffen Vater, auf den Schultern.
Da wurde es Tag vor unseren Augen mit rosenblättrigem
Licht.

Wir werden zu einer festen Stadt kommen im Wind.
Wir werden Frieden finden auf Felsen.

HEINZ PIONTEK

NACH DEM KRIEG

Erwachendes Lager

Bei der ersten Begehung
morgens im Dämmerlicht
ist es wie Auferstehung
im Lager beim Jüngsten Gericht.

Geweckt vom Lärm in den Lüften
der donnernden Engel aus Erz,
heben sich in den Grüften
die Augen himmelwärts.

Der Nachbar von Wurm und Käfer
hat mächtig den Morgen gefühlt.
Ein Erdloch entläßt seine Schläfer,
die Gebeine vom Nachttau verkühlt.

In den verwirrten Köpfen
weckt Hunger den alten Brauch:
das Feuer unter den Töpfen
qualmt als ein Opferrauch.

Wenn erst wärmend die Sonne
auf den Hönninger Höhen sich hebt,
ist es Auferstehungswonne,
die schauernd die Schläfer belebt.

Die ungeschorenen Locken
schütteln sie übers Ohr,
wenn mit den ersten Glocken
lobpreiset der Lerchenchor.

GÜNTER EICH

Heimkehr

Im Rock des Feindes,
in zu großen Schuhen,
im Herbst,
auf blattgefleckten Wegen
gehst du heim.
Die Hähne krähen
deine Freude in den Wind,
und zögernd hält
der Knöchel
vor der stummen,
neuen Tür.

HANS BENDER

Aufenthalte

Wegwarte wächst durch zerschossene Helme,
an Leder, verrotteten Balken –
die Dinge sind ohne Erbarmen.
Als Ruß
liegt die Stille zwischen den Knien.

Hinter der Halde das Lichtbild zerrissen:
Kommen, verheißen,
als blank der Frühhimmel schwebte,
die Knöpfe der Türen mit Tau
sich beschlugen.
Am Tage darauf hat ein Mann
seine Habe geknüpft,
einen Beutel

mit Reis unterm Gürtel verstaut
und Brot
in der Tasche des Kittels –

verlassener Pfad,
zäh kauen Kühe,
sie tunken die Mäuler
hinab auf den Strom,
vor dem der Flüchtige kauert.
Nachts schreckt sein Schatten
die Fische, wenn grob
er den Mond schöpft mit harziger Hand.

Ein Sommer ist kurz!
Nichts erhofft und alles erwartet –
die Farne am Hemd, den zersplitterten Kompaß?
Es klaffen die Schritte.
Im Gegenlicht zeigt sich
das Nachbargehöft,
neben der Ausfahrt der gleiche
Verschlag:
später das Haar
der Bäuerin um die Gelenke
und die vergeßnen
Legenden an wirbelnden Feuern.

GERHARD NEUMANN

Spur im Sand

Der blasse Alte
im verschossenen Kaftan.
Die Schläfenlocke wie voreinst. Aaron,
da kannte ich dein Haus.
Du trägst die Asche
im Schuh davon.

Der Bruder trieb
dich von der Tür. Ich ging
dir nach. Wie wehte um den Fuß
der Rock! Es blieb mir eine Spur
im Sand.

Dann sah ich
manchmal abends
von der Schneise
dich kommen, flüsternd.
Mit den weißen Händen
warfst du die Schneesaat
übers Scheunendach.

Weil deiner Väter Gott
uns noch die Jahre
wird heller färben, Aaron,
liegt die Spur
im Staub der Straßen,
find ich dich.

Und gehe.
Und deine Ferne
trag ich, dein Erwarten
auf meiner Schulter.

JOHANNES BOBROWSKI

Nachts

Nichts verziehen
in der Nacht
der Schützen,
die hinter Flechtwerk
lauern,
Patronengurte auf den Pelzen,
tiefer noch geduckt:
Wind
strudelt in geleerten
Fässern
unterm Abendrot,
das jäh zerspänt.

Von den Weiden
hängen keine Zweige. Ihre Kuppen hüten
die Träume fremder Schläfer,
wenn sie senkrecht stöhnen,
ihre Blicke weiß
sich färben. Nacht der Stricke:
wie sie aus den Lüften schwingen,
an den Sehnen schürfen und die Zungen
durch die Zähne treiben.

Nacht
der Schüsse,
unversehner Haften
und des Würgens – Patrouillengänger streunen.
Fährte kreuzt die Fährte:
niemand kann sie lesen.
Die asselfeuchten

Keller reichen selten
für zwei, von denen einer
Befehle
in den Fingern krümmt.

GERHARD NEUMANN

Dich

Dich haben sie erschossen
mich vertrieben

Und nun verteidigen sie
mit Gewehren
dein Grab
gegen meine Blumen

HANS-JÜRGEN HEISE

Der Vertriebene

Am Wege, wo das Volk vor Kesseln hockt
im Qualm der Feuerlöcher, Staub der Wagen,
wo magre Pferde weiden angepflockt
und Deichseln schräg und Stangen ragen,

schirrt er nun ab, im heißen Karrensand,
und klirrend fällt die schwere Ochsenkette.
Die weißen Tiere, aus dem Joch gespannt,
sie finden langsam grasend eine Stätte.

Er aber weiß nicht, was die Dämmrung schickt,
und spähend geht er über fremde Brache.
Und wenn er ruhlos nachts zum Himmel blickt,
sieht er durchlöchert seines Wagens Plache.

Das Karrendach zerriß manch Dorn und Ast
und endlos dehnt sich noch der Wälder Stille.
Er warf die Matte ab zur harten Rast:
Was klagt der Vogel nachts? Was schreit die Grille?

PETER HUCHEL

Der Wind geht ums Haus

Der Wind, der Wind, der geht ums Haus,
wir löffeln unsre Suppe aus,
dann gehn wir fröhlich schlafen.

Doch plötzlich sind wir wieder wach,
was ist das für ein wehes Ach,
wir können nicht mehr schlafen.

Es ist ein Ach und ist ein Weh
wie damals in Gethsemane,
da konnt auch keiner schlafen.

Das ist kein Wind, das ist kein Sturm,
das ist auch nicht im Holz der Wurm,
das ist ein armes Weinen.

Die Kinder weinen in dem Wind,
die all die Jahr gestorben sind,
die hörn wir draußen weinen.

Sie weinen, die der Hitler schlug
ins weiße, weiße Leichentuch,
die hörn wir schrecklich weinen.

Die Kinder sinds, soviel, soviel,
auf die die Glut vom Himmel fiel,
die jammern in der Stube.

Die andern auch, aus Schnee und Eis,
sind voll des wimmernden Geschreis
in unsrer warmen Stube.

Die ungeheure Kinderwelt
hat tot sich um das Haus gestellt;
wir frieren in der Stube.

Wir frieren und wir schlafen nicht,
wir liegen auf dem Angesicht,
wir schämen uns zu Tode.

Wir decken mit dem Bettzeug zu
das eigne Kind, ach, bleibe Du
bewahrt vor ihrem Tode,

die weiterziehn, von Haus zu Haus.
Wir löschen unsre Lampen aus
und zittern vor dem Tode.

WOLFGANG WEYRAUCH

Hiroshima

Der den Tod auf Hiroshima warf
Ging ins Kloster, läutet dort die Glocken.
Der den Tod auf Hiroshima warf
Sprang vom Stuhl in die Schlinge, erwürgte sich.
Der den Tod auf Hiroshima warf
Fiel in Wahnsinn, wehrt Gespenster ab
Hunderttausend, die ihn angehen nächtlich
Auferstandene aus Staub für ihn.

Nichts von alledem ist wahr.
Erst vor kurzem sah ich ihn
Im Garten seines Hauses vor der Stadt.
Die Hecken waren noch jung und die Rosenbüsche zierlich.
Das wächst nicht so schnell, daß sich einer verbergen könnte
Im Wald des Vergessens. Gut zu sehen war
Das nackte Vorstadthaus, die junge Frau
Die neben ihm stand im Blumenkleid
Das kleine Mädchen an ihrer Hand
Der Knabe der auf seinem Rücken saß
Und über seinem Kopf die Peitsche schwang.
Sehr gut erkennbar war er selbst
Vierbeinig auf dem Grasplatz, das Gesicht
Verzerrt von Lachen, weil der Photograph
Hinter der Hecke stand, das Auge der Welt.

MARIELUISE KASCHNITZ

Ungarisches Wiegenlied (1956)

Schlaf mein Kind, schlaf ein!
Wir sind sehr allein.
Was man läßt und was man tut,
diese Welt wird nimmer gut.
Schlaf mein Kind, schlaf ein!

Schlaf mein Kind, schlaf ein!
Auch der Mut wird klein.
Frißt der Teufel Kinderbrei,
bleibt nur Salz und Blut und Blei.
Schlaf mein Kind, schlaf ein!

Schlaf mein Kind, schlaf ein!
Was wird morgen sein?
Ein Apfelschnitz, ein Rindlein Brot,
und nachher kommt der Kindertod.
Schlaf mein Kind, schlaf ein!

Schlaf mein Kind, schlaf ein!
Abel liegt bei Kain,
wenn wir bei den Wurzeln sind.
Waren einer Mutter Kind.
Schlaf mein Kind, schlaf ein!

CHRISTINE BUSTA

An der böhmischen Grenze

Die Holzbank rüttelt,
die Fliegen haben die Fenster
mit unentzifferbaren Meldungen bedeckt,
und die Glocke vorn an der Lok
läutet irr.

Hundert Meter weiter von da,
wo der Zug hält, weht der Wind
das Gras kniehoch über das Geleise –
drüben die böhmischen Wälder
haben schiefergraues Regengewölk
als Tarnung vorgezogen.

In der Schankstube, mitten unter
Schweigsamen, findest du
auf abgegriffenem Tisch die Chiffren
der Fliegen wieder, während der Schnaps
in deiner Kehle brennt.

Später, hinter den letzten Häusern,
wo dir der Regen ins Gesicht schlägt,
wird der Specht, der in der Nähe keckert,
bereits als Tscheche verdächtigt.

WALTER GROSS

Steinstücken

2

Diese Radwege dürfen nicht befahren werden.
Die Würmer bohren tiefe Rillen.
Ganz gleich,
Sie machen sich strafbar.
Na, eure Uniformen sitzen nicht gut.
Rasiert ihr euch schon?
Ich weiß, die Vorschrift.
Gut ist das nasse Laub hier draußen.
Und die Fluglinie über uns.
Hunde können ohne Personalausweis die Grenze passieren.

3

Von Grunewald
hacken der Amis ihre MG's.
Aus Richtung Babelsberg
kommt die Volksarmee.
Manchmal möchte ich
den Stahlhelm aus dem Garten holen.
Vom letztenmal, wissen Sie?
Herr Meier schaufelt Vorratsgruben.
Um fünf Uhr macht er Feierabend.
Der Mond zeigt keine langen Zähne.

4

Wir sind nicht viele. Doch berühmt.
Willy Brandt braucht einen Passierschein.
Die Pappeln sind spitz. Die Schranke

(Steinstücken: Westberliner Enklave)

sieht aus wie eine Kanone.
Im März brennt der Mohn schon.
Im Juni liegt Schnee.
Zu Ostern lassen wir einen Luftballon steigen.
Sie brauchen Mut, mein Herr.
Kommen Sie bald. Bei Sonnenschein
spielen wir mit den Igeln.

ROLF HAUFS

Kranich der Freiheit

I

Elf Jahre schon hatte Sei-Chung
gemalt an seinem Bild „Morgen über dem Flusse" –
hatte immer wieder Neugier der Nachbarn
abgewehrt
und die Ungeduld von Tei-Chü,
dem reichsten der Bauern,
der darauf versessen war, seiner jüngsten Tochter
dies Bild als Mitgift einzuhandeln,
kost' es, was immer.

Denn noch war für Sei-Chung
dieser Morgen nicht ganz Morgen
nach dem Maße strengster Meisterschaft
und nach der Tradition der Ahnen.
Zwar war der Fluß ihr Fluß,
wie er träge die Hütten bespülte,
doch war es noch nicht der Flüsse Fluß selber:
Bruder von Erde und Regen, ein segnender Zerstörer.

Ach, Sei-Chungs Auge und Hand
schienen müde geworden von der Zeit . . .

Denn die Heere zogen hin und wieder
lehmgrau und in Lumpen durch das Dorf,
ihre Lippen wußten keine Grüße, keine Lieder,
gelber Staub bedeckte ihre Augen wie mit Schorf.

Breite Spuren von Panzern und Geschützen
mahlten langsam des Landes Grund zu Brei
und es blaute einzig in den Wassern seiner Pfützen
ein Stück Himmel, um zu zeigen, daß noch Himmel sei.

IV

Aus der Stadt kam ein Jeep mit vier Insassen
und sie fuhren vor die Hütte von Sei-Chung,
seine Kunst gehöre in den Dienst des Volkes,
sprach der älteste von ihnen, ehrerbietig doch bestimmt.

Man versprach ihm einen Rang und einen Lohn,
so wie er ihn niemals für ein Bild erhalten,
wenn er nun die Väter seines Volkes
malen wolle für des Tages Kampf.

Doch Sei-Chung erwiderte den Fragern schlicht,
daß er ihren Antrag nicht begreife,
denn der Vater dieses Landes sei der Fluß
und ihn male er elf Jahre schon.

Seien denn der Kranich, sei die Dschunke und der Bambus,
seien Nebel oder Chrysantheme

nicht mehr Zeichen für die Ewigkeit des Volkes,
dem auch er so wie sie angehöre?

Und er wandte still sich und er malte weiter am Gefieder,
an dem Brustflaum seines Kranichs, das der Morgenwind
gespalten –
Neigten sich die vier und gingen wieder zu dem Wagen,
darauf fuhr der Jeep davon wie er gekommen.

Ihre Freiheit schreit bald hell von den Plakaten,
blau und gelb und schwarz, auch rot erschallt der Schrei.
Seine Würger würgt dies Volk, so lang verraten,
doch das Blut bleibt immer rot, von wems auch sei.

Kunst muß trommeln, sonst kann sie heut nicht mehr
nützen,
Künstler andrer Art sind künftig vogelfrei,
darum nimmt Sei-Chung das Blau nun aus den Pfützen,
daß in seinen Bildern eine Ahnung Himmel sei.

V

Feinde hatte Sei-Chung nicht in seinem Dorfe,
doch der neue Ortsvorsteher hatte sie,
um sich unter ihnen Macht zu schaffen, sann er
auf ein Beispiel schreckender Gewalt.

Drum befahl er dem Alten, für den Jahrtag
ihres Sieges ein Plakat zu malen:
eine Gruppe Stürmender mit Bajonetten,
so als sei sie grad fotografiert,
und bis morgen hab ers abzuliefern.

Sei-Chung schwieg. Und dann erwidert er,
daß er nicht Vernichtung malen könne,
sondern nur das Leben. Er sei alt,
und das Schöne gehe, sagt er noch,
nieder wie ein Regen auf die Erde.
Es zu halten, müsse er sich eilen,
wenn man erst in seinen Jahren sei.
Gelb zuckt der Triumph im fremden Auge,
denn es sind die Fesseln schon bereitet.
Bis hinab in seine Keller-Zelle
würden nie des Kranichs Schwingen reichen.

Grauen Morgens sitzt man zu Gericht
und erklärt ihn als den Feind des Volkes,
solch Verbrechen sühne nur der Tod.

Dieses weise Volk trägt alles Los geduldig,
weil es so Jahrtausende schon überstand,
sie hingegen machten seinen Namen schuldig,
und ein jeder sah das Blut an ihrer Hand.

Krasses Unrecht spricht sein Urteil von den Sitzen
des Gerichts. Sein einzger Maßstab heißt Partei,
doch des Himmels Freiheit leuchtet aus den Pfützen
und ihr Blau spricht den Gequälten wortlos frei.

KARL SCHWEDHELM

Schlittenromanze

Auf schnelleren Schlitten
werden sie dich einholen,

für einen Wolf dich halten
in deinem Schafpelz

und mit dem Daumen dir
eine neue Richtung empfehlen:

Mit lärmenden Schellen
wirst du in die Verbannung reisen.

HEINZ PIONTEK

Der Henker

Er hat den kragen freigemacht
und stellt sich selbst auf das gerüst
sein wächter hat ihm schnaps gebracht
weil er sonst nichts zu wünschen wüßt

und der gehilfe legt den strick
dem meister sorgsam um den hals
und knotet ihn mit viel geschick
der meister sagt ihm allenfalls:

sieh zu daß du mich gut vertrittst
und achte – eh du dich entfernt hast
daß mir der knoten richtig sitzt
und zeig was du gelernt hast

CHRISTA REINIG

Parade

Es kommt auf den Staub an,
den das erstarrte Wasser
nicht vertreibt.

Die Reiter sind ihren Pferden
immer ein wenig voraus.

Die Minuten sprechen
mit vielen Füßen.

Auch die Welt
der vorüberfahrenden Geschütze
ist der Versuch,
Rosen zu Fall zu bringen.

Auf dem Balkon die Schachspieler
sind nur eine andere Instanz
der Gewalt.

Sie heben die Köpfe,
wenn sich der letzte Soldat
im plötzlichen Regen
aufgelöst hat.

KARL KROLOW

Die Maulwürfe oder Euer Wille geschehe!

I

Als sie, krank von den letzten Kriegen,
tief in die Erde hinunterstiegen,
in die Kellerstädte, die druntenliegen,
war noch keinem der Völker klar,
daß es der Abschied für immer war.

Sie stauten sich vor den Türen der Schächte
mit Nähmaschinen und Akten und Vieh,
daß man sie endlich nach unten brächte,
hinab in die künstlichen Tage und Nächte.
Und sie erbrachen, wenn einer schrie.

Ach, sie erschraken vor jeder Wolke!
War's Hexerei, oder war's noch Natur?
Brachte sie Regen für Flüsse und Flur?
Oder hing Gift überm wartenden Volke,
das verstört in die Tiefe fuhr?

Sie flohen aus Gottes guter Stube.
Sie ließen die Wiesen, die Häuser, das Wehr,
den Hügelwind und den Wald und das Meer.
Sie fuhren mit Fahrstühlen in die Grube.
Und die Erde ward wüst und leer.

II

Drunten in den versunkenen Städten,
versunken, wie einst Vineta versank,

lebten sie weiter, hörten Motetten,
teilten Atome, lasen Gazetten,
lagen in Betten und hielten die Bank.

Ihre Neue Welt glich gekachelten Träumen.
Der Horizont war aus blauem Glas.
Die Angst schlief ein. Und die Menschheit vergaß.
Nur manchmal erzählten die Mütter von Bäumen
und die Märchen vom Veilchen, vom Mond und vom Gras.

Himmel und Erde wurden zur Fabel.
Das Gewesene klang wie ein altes Gedicht.
Man wußte nichts mehr vom Turmbau zu Babel.
Man wußte nichts mehr vom Kain und vom Abel.
Und auf die Gräber schien Neonlicht.

Fachleute saßen an blanken, bequemen
Geräten und trieben Spiegelmagie.
An Periskopen hantierten sie
und gaben acht, ob die anderen kämen.
Aber die anderen kamen nie.

III

Droben zerfielen inzwischen die Städte.
Brücken und Bahnhöfe stürzten ein.
Die Fabriken sah'n aus wie verrenkte Skelette.
Die Menschheit hatte die große Wette
verloren, und Pan war wieder allein.

Der Wald rückte vor, überfiel die Ruinen,
stieg durch die Fenster, zertrat die Maschinen,

steckte sich Türme ins grüne Haar,
griff Lokomotiven, spielte mit ihnen
und holte Christus vom Hochaltar.

Nun galten wieder die ewigen Regeln.
Die Gesetzestafeln zerbrach keiner mehr.
Es gehorchten die Rose, der Schnee und der Bär.
Der Himmel gehörte wieder den Vögeln
und den kleinen und großen Fischen das Meer.

Nur einmal, im Frühling, durchquerten das Schweigen
rollende Panzer, als ging's in die Schlacht.
Sie kehrten, beladen mit Kirschblütenzweigen,
zurück, um sie drunten den Kindern zu zeigen.
Dann schlossen sich wieder die Türen zum Schacht.

ERICH KÄSTNER

ROLLEN

Bartok

Hinter des Abends rußigem Schein,
als er im Stall die Kiepe flocht,
schlief der alte Bartok ein.
Morgens qualmte versengt der Docht.
Ging er nicht eben noch ums Haus,
brannte die Wespennester aus,
karrte die Kleie, senste Luzerne,
füllte das Öl in die Wagenlaterne?

Regendurstiger Acker blieb,
Kummet, Geschirr und Peitschenhieb,
Wasser und Heu und Futtergang,
kleebewachsener Wiesenhang.
Und es weht der Hahnenschrei
an dem schlafenden Fenster vorbei.
Obst auf sonnigen Latten dorrt.
Nur der Alte ist tot und fort.

Auf dem Brette über dem Herd
trocknen noch seine Kürbiskerne.
Aber ein andrer schirrt morgens das Pferd,
dengelt und wetzt und senst die Luzerne.
Hinter dem nebelsaugenden Strauch
wartet verlassen die Weidenreuse.
Abends, über des Flusses Rauch,
flattern wie immer die Fledermäuse.

PETER HUCHEL

Der Balalaikaspieler

I

Mein Kopf hat ein Kind geboren,
Einen vollen Kürbis – wer will ihn kaufen?
Es sitzen darin die Kerne der Weisheit,
Noch ungezuckert.

Mein Bauch hat ein Kind geboren,
Nämlich den Fluß aller weltlichen Länder.
Man nenne ihn ‚Bottich'. Gesottene Fische
Entplantschen dem Flusse.

Mein Knie hat ein Vieh geboren,
Graurot und schüchtern. Winseln tut es
Wie du und er, wenn abends ertönt die
Verwehte Trompete.

Mein Herz hat den Schwan geboren.
Krachend Gefieder hebt sich zur Lampe.
Sein schwarzes Auge blickt klug und streng
Beim Schreiben der Verse.

Ich habe und werde gebären.
Wer meine Zähren zählt, wird sich verrechnen.
Und wenn im Regen die Pappeln brausen,
Kommt auch ein Gott.

II

Vertiert und doch nicht ganz allein,
Bin ich in einer Stadt ansässig.
Die Bürger trinken Bier statt Wein.
Die Weiber die sind lässig.

Was hab ich da viel Guts im Sinn!
Zu wandern wär ich gleich erbötig.
Hier schwankt mein Herz am Stabe hin.
Mir ist ein Engel nötig.

Ein Engel, welcher Gelder hat
An der bestrumpften heilgen Wade:
Ein Schloß, das Wald und Felder hat,
Würd mir zur Retirade.

Dort lebt ich gern und würde alt,
Von Gram nur selten unterbrochen,
Und würde kalt und stürb im Wald,
Verstäubt bis auf die Knochen.

So aber leb ich hier als Tier
Und werde wohl einst mein eigner Enkel
Und seh im Wein und seh im Bier
Der Wolken Weltgeplänkel.

GEORG VON DER VRING

Vagabund und Winzer

In Hungerstädten Märzlicht blaßt.
Am Hang vorm Weinberg halt ich Rast.
Der Bildstock lodert überlicht,
Der Löß zernagt mein Angesicht.

Nun schreitet hoch den Steig im Land,
Wer schwarz im Herbst die Stauden band,
Und trifft das Kienholz Pflock um Pflock
Und trennt den Rest vom Wurzelstock.

Gemessen löst er Strauch um Strauch,
Verschlossen bösem Frost und Rauch.
In meinem Herzen, unverwahrt,
Hat Schwärze krank sich angespart.

Du Winzer, der du kurzerkraft
Die Reben schneidest neu im Saft,
O tritt doch aus dem Weinrevier
Um Christi willen her zu mir!

Ich folge dir als Knecht nach Haus,
Ich führe ein, ich trage aus;
Zum Heil begeb ich ganz mein Blut
In deines Messers krumme Hut.

THEODOR KRAMER

Die Pfarrersköchin

Die Pfarrersköchin schwenkt die Pfanne,
der Teig verteilt sich mit Gezisch.
Hier wartet Eiweiß, Lauch und Fisch,
der Rahm in der Emaillekanne.

Geruch von Rauch und von Gewürzen.
Die Köchin schwitzt im Feuerschein.
Die Gartenarbeit fällt ihr ein.
Die rote Grütze muß sie stürzen.

Sie scheucht die Fliege aus dem Haar
und von den frisch getünchten Mauern.
Der Regen draußen wird nicht dauern.
Wie schnell verging das letzte Jahr!

Der Mesner zieht die Glockenschnur,
im Echo schwingt das Netz der Spinnen.
Unhörbar mahnt im Niederrinnen
der rote Sand der Eieruhr.

GÜNTER EICH

Die Glockenbuben

Ein Bauer wird begraben.
Die Trauergäste traben
hinter schwarzer Bahr.

Alle Glocken läuten.

Die wir wohl Müh sonst scheuten,
wir Buben, o wie freuten
wir uns auf diesen Tag!

Wir hängen an den Strängen,
wir lauschen vollen Klängen,
es fliegt das helle Haar.
Wir ziehen und wir keuchen,
vom hohen Turm wir scheuchen
der Fledermäuse Schar.

Die Sonne, die muß scheinen,
ob Mann und Weib auch weinen!
Die Glocken klingen klar.
Und an dem Strang wir stöhnen,
auf daß sie jubeln, dröhnen
und allem Leide höhnen
so heut wie immerdar.

RICHARD BILLINGER

Der böhmische Knecht

Mit der Rotte hab ich Korn geschnitten
und mich so von Gut zu Gut getrieben;
Sense hat mich in den Fuß geschnitten
und – geheilt – bin ich im Land geblieben.
Vielen Bauern hab ich Roß und Kühe
abgewirtet und das Holz gebunden;
und ich hab mich nur für meine Mühe
neu gewandet jedes Jahr gefunden.

Immer hat im Wirtshaus sich beim Zechen
wer gemuckt, der mir mein Bier nicht gönnte;
und ein andrer hat mir vorgerechnet,
was ich am Tabak ersparen könnte.
Doch der Rausch ist mir mein Recht gewesen
und der Pfeifenrauch die eigne Hütte;
sehr entbehr ich beides, seit ich Besen
binden muß und schon den Kumpf verschütte.

Meine Lungen sind belegt und heiser,
niemand wird mich also freundlich pflegen
wie sie hierzuland die Paradeiser
zwischen Doppelfenstern reifen legen.
Drum im Sonntagsstaat bei voller Flasche
laß ich wiederum die Pfeife qualmen,
weiß die Rebschnur in der Außentasche
und ein Holzkreuz vor den Schachtelhalmen.

THEODOR KRAMER

Holzfällerschenke

Flaschengalerie der Schenke,
Fäller, bärenhaft vermummt,
axtgekerbte Fichtenbänke,
und der Kachelofen summt.

Stummelpfeifen, Sägmehlboden
schwarzgefleckt vom Kautabak –
Schmeck den Tanngeruch am Loden,
greif das Brot im Jutesack.

Rück zum Feuer, hör den Alten
der die Köhlerfabel spricht,
Meiler siehst du, Rauchgestalten
und im Holz ein Harzgesicht.

Fabeln, Harzrauch, Winterweisen
und die Fracht der Einsamkeit
trägst du mit durch Wälderschneisen,
schneeblind, waldtoll, eingeschneit.

RAINER BRAMBACH

Die Tochter des Schmieds

Ich hatte einen Vater,
mächtig wie der Pfosten des Ziehbrunnens
in Kobniza,
mit Augen aus blauem Eisen und Funken im Bart,
der hinkte und konnte in den Legenden lesen.

Er hatte eine Tochter,
schön wie der Fluß in den Wiesen
bei Kobniza.
Winters trug sie die zierlichen Stiefel,
sommers eine Fahne Kattun um die Hüften.

Ihm träumte, er lebe als Köhler
und verstünde die Vögel.
Aber Schmied war er auf einem verlotterten Vorwerk
und bückte sich vor dem Vogt.

Und sie, seine Tochter, wäre am liebsten
mit einem zwanzigjährigen Fähnrich geritten,
aber ein Posthalter nahm sie,
kaufte ihr Zwieback und eine Brille.

Ein Apfelschimmel schlug meinen Vater lahm.
Mein Vater kam nie in die Wälder.
Er schüttete Kohlengrus auf:
sein Herz war eine ausgeblasene Esse.
Er trank neun Krüge Dünnbier
und starb daran.

Ich lernte, daß man vor seinem Gedächtnis
nie sicher ist.
Ich sehe des Morgens unseren kleinen Horizont,
und unter der Funzel schreib ich Adressen
für die Leute.

HEINZ PIONTEK

Die Frauen der Nehrungsfischer

Wo das Haff
um den Strand lag
dunkel, unter der Nacht noch,
standen sie auf im klirrenden
Hafer. Draußen die Boote
sahen sie, weit.

Wenn sie kamen – die Alten
wachten am Ruder, die Söhne,
wirr vor Schlaf, in den Armen
des Netzzugs Last –,
ging durch den Himmel ein heller
Streif und hing um die Dächer.
Droben
wenige Rufe
trieben im Wind.

Und gering war der Fang.
Vor Zeiten, sagt man, umglänzte
hundertschwärmig der Hering
draußen die Meerbucht, silbern
schwand er. Die Närrin
schreit es am Waldrand hin, –
altes Lied, Gewitter
reißts aus der Bläue.

JOHANNES BOBROWSKI

In jener Zeit

In jener Zeit von der ich dir erzähle,
war ich ein Erdarbeiter, aß mein Brot am Zaun,
trug grobes Hemd, Manchesterhose, Garibaldihut
und schneuzte meine Nase mit der bloßen Hand.

Es regnete im März, verdrossen
hob ich die Erde aus und stand
im Graben im August, Gesicht nach unten,
lautlose Staubgewitter über mir.

Wohl acht Etagen tiefer als der Maulwurf
schlug ich mit Wucht die Hacke in den Kies.
Im Stein glomm kaltes Feuer, Funken fuhren
gegen die Holzverschalung hin.

Der Schnee lag auf dem Erdwall dann beim Kabelziehen -
Dezember und ein Himmel aus Zement.
Da half nur noch die selbstgedrehte Zigarette,
der Burrus bleu, der ledern roch.

RAINER BRAMBACH

Stundenlied

Um acht Uhr liegt der Markt voll Spelt,
der Tag wie Soda blau verfällt;
von Roßmist trunken schwimmt der Spatz,
der erste Strolch nimmt rittlings Platz
im Ausschank.

Um zehn das Tschoch die Geigen wetzt,
der Branntwein zart die Gurgel ätzt;

der Auftrieb stelzt im Puderwind,
wer kauft, kauft schlecht: die Huren sind
noch teuer.

Die Mitternacht viel Licht verspeist,
des Schnupfers Nase fremd vereist;
das Messer wohnt bereit zum Stich,
der Mensch bekommt sehr leicht mit sich
Erbarmen.

Um zwei Uhr früh weht's bitterlich,
der Wachmann weist die Hur vom Strich.
Wohl jedem, den beglückt sein Klamsch!
Wer kauft, kauft gut: 's ist großer Ramsch
in Lenden.

Um vier Uhr wird der Rinnstein fahl,
der Schränker steigt aus dem Kanal;
das Brot wird gar, die Milch gerinnt,
des Säufers Harn zaunabwärts rinnt:
o Klage.

THEODOR KRAMER

Sardischer Ochse

Getünchte Häuser umstehen die Bühne,
wo sich jeder um alles schert.
Seht den Wagen! So klein ist das Pferd,
daß der Fleischer davor ein Hüne.

Auf seiner roten Stirn die Adern
schwellen, da er sich niederbeugt,

hochhebt des Ochsen Kopf: der äugt
nach den Weibern, die schon um ihn hadern.

Fleisch oder Antlitz? Die Blutgerinnsel
künden den Schmerz, der ihn überlebt,
packt die Hörner der Mann und erhebt
über sein Haupt den König der Insel.

Dunkel nimmt die Halle sie auf
und die Weiber kommen zuhauf.

LUDWIG GREVE

Die Aasgräber

Reibsand fahren auf dem Karren
wir bei Tag zum Schein vors Haus;
auf dem öden Anger scharren
wir das Vieh im Finstern aus.
Fleisch von Kühen, Haut von Kleppern
schaffen wir vor Früh noch fort;
und die langen Spaten scheppern
unterm Spanntuch durch den Ort.

Wägelchen, wir tauchen
singend dich durchs Land;
schaffst uns, was wir brauchen,
voll von Rotz und Brand.

Auf der Rast tun wir in Streifen
aus dem Balg den Kerntalg aus,
schneiden, eh wir ihn verseifen,
Köder, denen keine Maus

widerstehn kann, in die Schwingen.
Heiß legt sich das Licht aufs Gras;
und wir sonnen uns und singen,
schmort im Eisentopf das Aas.

Wägelchen, wir tauchen
singend dich durchs Land;
schaffst uns, was wir brauchen,
voll von Rotz und Brand.

Und so fristen unser Leben,
wandernd, niedrig wir im Licht,
bis wir einen Milzbrand heben
oder uns ein Splitter sticht.
Aufgeschwemmt von schwarzen Sporen
ziehn wir dann, und seltsam matt,
Rotlauf hinter beiden Ohren,
schleppen wir uns bis zur Stadt.

Wägelchen, dann tauchen
wir dich nicht durchs Land,
nimmer; was wir brauchen
schafft zum Schluß der Brand.

THEODOR KRAMER

Von der Kindesmörderin Marie Farrar

Marie Farrar, geboren im April
Unmündig, merkmallos, rachitisch, Waise
Bislang angeblich unbescholten, will
Ein Kind ermordet haben in der Weise:

Sie sagt, sie habe schon im zweiten Monat
Bei einer Frau in einem Kellerhaus
Versucht, es abzutreiben mit zwei Spritzen
Angeblich schmerzhaft, doch ging's nicht heraus.
Doch ihr, ich bitte euch, wollt nicht in Zorn verfallen
Denn alle Kreatur braucht Hilf von allen.

Sie habe dennoch, sagt sie, gleich bezahlt
Was ausgemacht war, sich fortan geschnürt
Auch Sprit getrunken, Pfeffer drin vermahlt
Doch habe sie das nur stark abgeführt.
Ihr Leib sei zusehends geschwollen, habe
Auch stark geschmerzt, beim Tellerwaschen oft.
Sie selbst sei, sagt sie, damals noch gewachsen.
Sie habe zu Marie gebetet, viel erhofft.
Auch ihr, ich bitte euch, wollt nicht in Zorn verfallen
Denn alle Kreatur braucht Hilf von allen.

Doch die Gebete hätten, scheinbar, nichts genützt.
Es war auch viel verlangt. Als sie dann dicker war
Hab ihr in Frühmetten geschwindelt. Oft hab sie geschwitzt
Auch Angstschweiß, häufig unter dem Altar.
Doch hab den Zustand sie geheimgehalten
Bis die Geburt sie nachher überfiel.
Es sei gegangen, da wohl niemand glaubte
Daß sie, sehr reizlos, in Versuchung fiel.
Und ihr, ich bitte euch, wollt nicht in Zorn verfallen
Denn alle Kreatur braucht Hilf von allen.

An diesem Tag, sagt sie, in aller Früh
Ist ihr beim Stiegenwischen so, als krallten
Ihr Nägel in den Bauch. Es schüttelt sie.

Jedoch gelingt es ihr, den Schmerz geheimzuhalten.
Den ganzen Tag, es ist beim Wäschehängen
Zerbricht sie sich den Kopf; dann kommt sie drauf
Daß sie gebären sollte, und es wird ihr
Gleich schwer ums Herz. Erst spät geht sie hinauf.
Doch ihr, ich bitte euch, wollt nicht in Zorn verfallen
Denn alle Kreatur braucht Hilf von allen.

Man holte sie noch einmal, als sie lag:
Schnee war gefallen, und sie mußte kehren.
Das ging bis elf. Es war ein langer Tag.
Erst in der Nacht konnt sie in Ruhe gebären.
Und sie gebar, so sagt sie, einen Sohn.
Der Sohn war ebenso wie andere Söhne.
Doch sie war nicht, wie andre Mütter sind, obschon –
Es liegt kein Grund vor, daß ich sie verhöhne.
Auch ihr, ich bitte euch, wollt nicht in Zorn verfallen
Denn alle Kreatur braucht Hilf von allen.

So laßt sie also weiter denn erzählen
Wie es mit diesem Sohn geworden ist
(Sie wolle davon, sagt sie, nichts verhehlen)
Damit man sieht, wie ich bin und du bist.
Sie sagt, sie sei, nur kurz im Bett, von Übel-
keit stark befallen worden, und allein
Hab sie, nicht wissend, was geschehen sollte
Mit Mühe sich bezwungen, nicht zu schrein.
Und ihr, ich bitte euch, wollt nicht in Zorn verfallen
Denn alle Kreatur braucht Hilf von allen.

Mit letzter Kraft hab sie, so sagt sie, dann
Da ihre Kammer auch eiskalt gewesen

Sich zum Abort geschleppt und dort auch (wann
Weiß sie nicht mehr) geborn ohn Federlesen
So gegen Morgen zu. Sie sei, sagt sie
Jetzt ganz verwirrt gewesen, habe dann
Halb schon erstarrt, das Kind kaum halten können
Weil es in den Gesindabort hereinschnein kann.
Und ihr, ich bitte euch, wollt nicht in Zorn verfallen
Denn alle Kreatur braucht Hilf von allen.

Dann zwischen Kammer und Abort – vorher, sagt sie
Sei noch gar nichts gewesen – fing das Kind
Zu schreien an, das hab sie so verdrossen, sagt sie
Daß sie's mit beiden Fäusten, ohne Aufhörn, blind
So lang geschlagen habe, bis es still war, sagt sie.
Hierauf hab sie das Tote noch durchaus
Zu sich ins Bett genommen für den Rest der Nacht
Und es versteckt am Morgen in dem Wäschehaus.
Doch ihr, ich bitte euch, wollt nicht in Zorn verfallen
Denn alle Kreatur braucht Hilf vor allem.

Marie Farrar, geboren im April
Gestorben im Gefängnishaus zu Meißen
Ledige Kindesmutter, abgeurteilt, will
Euch die Gebrechen aller Kreatur erweisen.
Ihr, die ihr gut gebärt in saubern Wochenbetten
Und nennt „gesegnet" euren schwangeren Schoß
Wollt nicht verdammen die verworfnen Schwachen
Denn ihre Sünd war schwer, doch ihr Leid groß.
Darum, ich bitte euch, wollt nicht in Zorn verfallen
Denn alle Kreatur braucht Hilf von allen.

BERTOLT BRECHT

Die Gaunerzinke

Die stillste Straße komm ich her,
im Schluchtenfluß die Otter schreit.
Mein Schnappsack ist dem Bund zu leer,
Gehöfte stehen Meilen weit.
Im Kotter saß ich gestern noch
und tret ins Tor im Abendrot
und weiß im Janker Loch um Loch
und bitte nur ganz still um Brot.

Und dem, der hart mich weist ins Land,
dem mal ich an die Wand ein Haus –
und vor das Haus steil eine Hand;
die Hand wächst übers Haus hinaus.
Hier, seht, hier bat – und bat nur stumm
– nach mir, ihr Brüder, – eine Hand.
Und einer geht ums Haus herum
und einer setzt's einst nachts in Brand.

THEODOR KRAMER

Der Scheunenschläfer

Hoch oben im verjährten Heu
ein Schläfer unter grauem Dach.
Der Fugenmond bemalt die Streu
und stumm liegt Raum und Fach.

Der Mond erlischt im Tal.
Die Nächte gehn. Er ruht wie tot.
Durch Luken glüht von Mal zu Mal
das neue Morgenrot.

Ach, was geschieht im toten Dorf?
Es ist ein Nachmittag.
Ein Pflug zerreißt den schwarzen Torf.
Ein greller Hammerschlag.

Die Furche fällt ins Blau
und eine Egge geht.
Das Heu bereitet lau
ein Wind, der zärtlich weht.

Vielleicht ist Sonntag nun
und gelber Kirchenschein.
Und in sein einsam Ruhn
hört er den Täufling schrein.

Es tastet seine Hand
und fühlt ein rostig Erz.
Die Nägel an der Wand
einwachsen in sein Herz.

Und böse Strahlen klirrn
das graue Dach hinab.
Und oftmals wehrt er von der Stirn
die Sonne, heiße Hornis, ab.

WILHELM SZABO

Auf eine erfrorene Säuferin

Du Säuferin, schweigsam seit Jahren und schloh,
erfroren vor Früh unter Ranken und Stroh:
wir Brenner, wir Gärtner, wir Wirte vom Rand,
wir haben dich alle seit Jahren gekannt.

Verbeult war dein Häfen, ein Kürbis dein Krug,
es war jeder Brocken dir gut und genug,
es machte des Tropfbiers gestandener Schaum
die Schläfen dir schwer und das Leben zum Traum.

Du ruhtest zusammengerollt wie ein Tier,
die Wärme der Fäulnis war rauschend mit dir,
gehorsam dem Druck in den Beugen, und kam
dem zu unterm Laub, der sie suchte und nahm.

Es bargen die Strolche bei dir ihr Gesicht,
den Bierschaum, die Brocken verschmähten sie nicht,
und jeder verließ in der Folge dein Nest,
wie man nach der Rast eine Mulde verläßt.

Nun starrn deine Beugen verschwollen und steif;
noch weht aus dem Saum deines Kittels der Reif
des Felds, und von Reif dünkt ein Hauch uns verzehrt
der Wärme, von der alles Keimen sich nährt.

THEODOR KRAMER

Lied der Kanalpenner

Der Kanal hat Dampfer und Ladekähne.
Der Kanal hat Fischkähne auf seinem Rücken.
Der Kanal hat eine Wasserleiche im Herzen.
Das Herz ist das Schauhaus.
Der Kanal hat einen Schuster geschluckt.
Der Schuster macht Schuhe für einen großen Fisch.

GÜNTER BRUNO FUCHS

Valet

Das Schauspiel der Welt
brannte ihm Löcher in den Pelz.

Ein Strohkopf
mit einem schrägen Gewissen.

Er hatte noch bei der
Kavallerie gedient.

Vor Beutelschneidern
schwadronierte er von seinen Attacken.

Mit Besoffnen zog er durch die Garküchen
und auf die Galerie der Operette.

Seine Freundlichkeit galt den Näherinnen,
seine Bosheit den Raben.

Er hielt den Tod für ein Studentlein
mit schiefen Absätzen.

Bis an sein Ende hörte er nicht
die Flüge der Engel:

nur einen leichten Donner
von Waffen und Lauten.

HEINZ PIONTEK

Jacques der Athlet

Wenn still die Schwungradkugeln
der Maschine stehn,
wie zwei Pupillen, nächtegroß,
und nur der Sudbottich noch singt
in unsrer kleinen Brauerei,
nimmt Jacques der Braubursch und Athlet
das Handtuch mit der Lorelei
und geht –
in seine Kammer.
Er reißt die Fenster auf
und atmet tief
den Abendfrieden zarter Pappelbüsche.

Er will zur Kirmes noch nach Wels.

Gekämmt, gewaschen,
heben ihn die Ringe.
Die Muskeln spielend in die Bälle gehn.
Wie Stahl erglänzt
des Auges Brillantine,
darunter kühn
die Besen seines Schnurrbarts wehn.
Er könnte als Tapetenkaiser gehn
und sich bewundern lassen
von seinen Damen an der Wand.

Sie würden ihn
in eine Brosche fassen
mit goldenem Athletenband.
Vielleicht, denkt er, werd ich

in Wels mich produzieren
und meinen Damen
eine Ansichtskarte schicken.

ERICH JANSEN

Schauspielerin

Schneewehen,
das kleine Haus im Garten.
Die nie gezeigten Zimmer
aus Heimweh, weißen Kissen,
roten Naphtalantapeten.
Die Mutter trug noch die Adelsbrosche,
als der Zar,
halb Tier, halb Drahtpuppe,
hinter dem festen Tuch
ihr die Beichte abnahm. –
Doch gestorben sind sie alle.
Gestorben im Sommer
voll Aprikosenduft
und zwischen den weißen Mauern
das orangegoldene Geläut
ihrer Mädchenstimme. –
Ein letzter Firnisglanz der Lust,
endloser Straßen Unerklärbarkeit,
wie glasig abwaschbare
Wachstuchleere.
Und wieder Schneewind
über nasse Straßen hin
voll Dunkelheit.

Der schwarze Lack des Regenmantels
an der Gosse.

ERICH JANSEN

Die Tochter des Glasbild-Fabrikanten

Immer in der Nacht,
wenn sie in weißer Seide
über das mondne
Katzenkopfpflaster des Innenhofs
schreitet und
alle Uhren im Hause verstummen,
ziehen dreißig Künstler
ihre schwarzen Tellerhüte
und malen ihr Bild
in die Madonnen ihrer Glasfenster;
breitwangig,
mit dem Duft hellweißer Oblaten;
die Augen aber,
in Malvenwasser gebadet,
innen ganz blau,
und die Arme malen sie
rund, französisch kalt,
wie auch die Nächte sind,
wenn sie im weißen Kleid
den Innenhof durchschreitet
und zurückschaut.
Sie sieht nicht,
wie am Apfelbaum
das violette Blut entlangläuft.

ERICH JANSEN

Kardinal

Seine Robe rollt,
wenn er im Park spaziert,
bis fast ins Meer,
das ihn violett zurück ins Zimmer mahnt.

Eh er sich aber ganz gewendet,
bezaubert ihn das Sternbild, das,
die bunten Lichter wechselnd,
aus dem Dunstsaum schnell herauffährt.

So schnell, daß er Sankt Nikolaus bäte,
es aufzuhalten,
wenn er nicht wüßte,
daß es täglich um diese gleiche Stunde unaufhaltsam
hier durch nach Rom fliegt.

Statt seiner Robe bleibt das Rosenbeet
am Strande ausgebreitet,
wenn er im kleinen Kleid Zitronensaft
trinkt und beschwört die ruhigeren Bilder,
daß sie bleiben, bleiben.

Da doch manchmal schon Matrosen
ganz nah heran auf Paddelbooten kommen
und ihn zusammen mit den Pfauen knipsen
und ihm freundlich „Dann eben nicht" zurufen,
wenn er mit Würde ihre Zigaretten ablehnt . . .

KUNO RAEBER

TAGE UND JAHRE

Einsamer Frühling

Ein schwarzer Vogel pfeift im Garten,
Der Knecht bricht seinem Pferd das Brot.
Auf meine Kleinen muß ich warten,
Sie reisten fort im Morgenrot.

Was wird, wenn sie zurückverlangen?
Wer spielt dort Spiele, die ich weiß?
Wer schichtet Laub und richtet Stangen,
Schürt Feuer, beizend gelb und heiß?

Wer malt für sie die Bilderbücher?
Sie wollten Gold und lobten Bunt.
Die aufgezogenen Fahnentücher
Besang den Sommer lang ihr Mund.

Sie saßen auf des Vaters Knien.
Ihr Haar, es riecht so bitterklar.
Oh, jenen Acker hinzufliehen
Zu solchem unverlorenen Haar,

Wo noch ein schwarzer Vogel flötet,
Der Knecht dem Pferd das Brot noch bricht.
So lang der Morgen wieder rötet,
Lieg ich verzagt auf dem Gesicht.

GEORG VON DER VRING

Biblische Kindheit

Damals bist du oft zu mir gekommen,
und das Dunkel war von deinem frommen
Koboldnamen heimlig, Habakuk!
Denn zum Essenträger unter den Propheten
brauchte man nicht feierlich zu beten,
und von deinem Brei bekam man nie genug.
Immerzu warst du umsummt von Bienen
und dein Brotsack stak mit Mandeln und Rosinen
voll und Kringeln, die man nur im Himmel buk.
Bartlos warst du, Gott nahm dich beim Schopfe,
Windroßreiter mit dem Struwelkopfe,
der die wunderbare Schüssel nie zerschlug,
jedem Kinderkummer, der noch wachte,
Daniels sanfte Schlummerlöwen brachte
und die Monduhr unterm Bauernkittel trug.
Geh ich in der Welt nicht ganz verloren,
ist's, weil manchmal nachts die tauben Ohren
treu dein Echo tröstet, Habakuk.

CHRISTINE BUSTA

Kinder

Sie spielen unten im Hof und spielen
Peter ist Henker – Hans Präsident:
verhaftet den Toten den Toten der flennt!
wer leben will der muß schielen!

Das Licht hängt Schatten über die Gruft
ho! nicht umsehn nicht lachen wenns kitzelt!

der Plumpsack geht herum – bespitzelt
mit weißer Nase die Luft.

Die Mädchen kochen Suppe Suppe
Zucker für die Teufel Salz für die Frommen
und wer noch einmal davongekommen
erhält zum Trost eine Puppe.

HANS PETER KELLER

Widerspiele

Der Lattich blüht am Zaun.
Der weite Platz ist griebenbraun.
Er schwelt den Winter aus.

Der Lattich war mein Haus,
Das Latticheck.
Wir spielten dort zu zweit Versteck

Im März. Die Sonne schien
Gelbglänzend, aber faul.
Der Fuhrmann schlug den Karrengaul.

Der zog den Müll, den Schutt.
Nach Staub rochs und Palmin,
Und ihre Puppe warf ich ihr kaputt.

WALTER HÖLLERER

Spaziergänger

Ach bitte, Onkel oder Tante, wo ist der Eisesbär,
der Bär mit seinem Wasserboot?

Was fragst du uns, hör auf, wir wissen nur:
Die Wärter bekommen ihr Futter um dreizehn Uhr.

O bitte, Onkel oder Tante, wo ist das Hühnchen,
das ihr rupfen wollt?

Hachjeh, hör auf, wir wissen nur:
Wir essen 'ne Bockwurst um sechzehn Uhr.

Und sagt mir, Onkel oder Tante, was nimmt
die Wandermaus auf ihre Reise mit?

Halt's Maul, hör auf, wir wissen nur:
Die Wärter bekommen ihr Futter um neunzehn Uhr.

GÜNTER BRUNO FUCHS

Briefschreibenmüssen

Hier ist nichts los – außer
daß alle kinder ahornnasen tragen

CHRISTA REINIG

Rudern, Gespräche

Es ist Abend. Vorbei gleiten
Zwei Faltboote, darinnen
Zwei nackte junge Männer. Nebeneinander rudernd
Sprechen sie. Sprechend
Rudern sie nebeneinander.

BERTOLT BRECHT

Bildnis eines jungen Mannes

Einige Gedichtbände auf dem Regal in der Kammer,
die kleine Fröhlichkeit beim Pfeifen einer
Melodie während der Arbeit am Sandstein und
an regnerischen Sonntagen ein Gang durch
die öffentliche Kunstsammlung.

Im Nebensaal – wenig beachtet – das Bildnis
eines jungen Mannes um 1470, oberdeutsche Schule,
ein wenig bäurisch, vielleicht Troßknecht
oder Steinmetz.

Damals wurde ich gemalt. Verging denn viel
Zeit seither?
Ach, dieser Spätherbst ist so frostig wie einst,
das Geräusch des Regens
blieb unverändert,
durch den Mittag eben noch sommerlicher Steinbrüche
fällt falbes Laub.

RAINER BRAMBACH

Mann in mittleren Jahren

Er liebte ein unscheinbares Leben
mit stillen Abenden und Sonntagen,
in immer der gleichen Art verbracht
mit Arbeit, Rauchen, Essen.
Manchmal fragte er sich verwundert,
wie das sei mit dem Glück.
Er entdeckte in sich
den Wunsch, alt zu werden.
Dann und wann wollte er,
was ihm dabei auffiel,
hinkritzeln auf kleine Blätter.

WALTER HELMUT FRITZ

Fahnenflucht

ein Mann meines Alters und Namens
kennt das

er trat vor den Spiegel
das Visier offen

nicht lang hielten die Augen
dem Blick stand

Überläufer
– zu wem?

HANS PETER KELLER

An diesem Nachmittag

Es war an einem Nachmittag, als ich mir sagte:
es gibt Brücken über die Flüsse,
Wege, die sich kreuzen, Linien, die sich
im Endlichen schneiden.

Die Vorstellung einer Tangente stimmte mich zärtlich:
die Berührung einer Wange, einer Brust.

Es war an einem Nachmittag,
da ich der Brücken und Wege gedachte,
auf denen man sich begegnen könnte beim
Anbruch der Nacht,
als mir plötzlich der pont d'Avignon einfiel:
die Brücke, die das andere Ufer nicht erreicht,
der nicht zu Ende geführte Entwurf,
die nutzlosen Pfeiler im strömenden Wasser der Rhône.

Der Gedanke an diese Brücke zerschnitt mich wie
ein Messer
an diesem Nachmittag.

RUDOLF HARTUNG

An jenem Nachmittag

Kein Gedanke lenkte seine Schritte
an jenem Nachmittag, kein Gedanke an damals.
Der Nachmittag in der Stadt war gewöhnlich:
Wärme der Mauern, Licht und Staub, halbes Gespräch
im Ohr, Park und Schatten wie immer.

Da drang in ihn der Ton einer Säge,
ein Anruf der Zeit, vergangener Zeit:
ein kleines Zimmer auf den Hof hinaus,
einen Hof mit hohen Bretterstapeln
und dem immer wieder anschwellenden Ton
einer Säge.
Ein kleines Zimmer, am Fenster der schwarze
Klavierkasten und darauf ein Bild der Cebotari,
ein Stoß mit Notenblättern –
und wieder sah er die Biegung ihres geliebten Leibes,
wie sie das Kleid überstreifte und dastand
ohne ein Wort.

Nichts vermochte er über sein Inneres.
Er trat an eine Auslage, nahe trat er heran,
ganz an die Scheibe,
der Anschein seines Interesses war vollkommen
an jenem Nachmittag vor der Auslage,
an jenem gewöhnlichen Nachmittag
mit der Wärme der Mauern, Licht und Staub,
halbem Gespräch im Ohr, mit Park und Schatten,
wie immer.

WALTER GROSS

Freitag

Grüne Heringe,
in Zeitung gewickelt,
trug ich nach Hause.

Sonnig und frostig
war das Wetter.
Hausmeister streuten Sand.

Im Treppenhaus erst
begannen Heringe
die Zeitung zu durchnässen.

So mußte ich Zeitungspapier
von Heringen kratzen,
bevor ich Heringe ausnehmen konnte.

Schuppen sprangen
und lenkten mich ab,
weil Sonnenlicht in die Küche fiel.

Während ich Heringe ausnahm,
las ich in jener Tageszeitung,
die feucht und nicht neu war.

Sieben Heringe bargen Rogen,
voller Milch waren vier;
die Zeitung jedoch war an einem Dienstag erschienen.

Schlimm sah es in der Welt aus:
Kredite wurden verweigert.
Ich aber wälzte grüne Heringe in trockenem Mehl.

Als aber Heringe in der Pfanne erschraken,
wollte auch ich düster und freudlos
über die Pfanne hinwegsprechen.

Wer aber
mag grünen Heringen
vom Untergang predigen?

GÜNTER GRASS

Jagdhörner

Dezembers hauchen
Atem gegen frostige Ebenen
und Wild mit schneeigem Pelz
und Löcher ins Eis
und ziehen Fische aus schwärzlicher Flut
in siedendes Wasser

Männer,
die Flinten und Feuer verehren
und Häsin und Fuchs ein Ende bereiten
mit Blitzen und Kugeln,
die schnell sind.

Verendet arglose Schönheit im Schnee,
ballt sich das Leben
im Strom aus zerrissenem Hals.

Die Männer töten,
was sie lieben und blankäugig ist
und geschmeidig und stolz
mit fliegenden Hufen dahinflieht.

Aber kehren sie heim
von den Märkten der toten Fasanen,
holt es sie ein, das schnelle Entfärben.
Und Jagdhörner, Freunde,
verhallen.

Welches Leben
spielt uns der Tod in die Hand,
daß wir die Taube im Flug
heiter vom Himmel
herunterholen zum Fisch?

Wir sterben doch auch
weg von den Tischen
und wissen ein wenig zu leiden.

KARL ALFRED WOLKEN

Nach der Arbeit

Die Soldatenmützen sind in den Nacken geschoben.
Es ist so weit, daß man sich
Die Augen reibt und nach der Sonne sucht,
Die untergegangen ist.
Aus den Häusern stürzen
Wasserfälle des Lichts.
Sie verlieren sich im Efeugebüsch,
In dem ein Schatten
Über einen Schatten gebeugt bleibt.
Andere machen woanders ihr Glück.
Schon ist die Nacht auf der Suche
Nach denen, die unter ihrem Messer
Fallen sollen.

KARL KROLOW

Der Morgen

Licht, marianisches Licht. Knabenstimmige
Chöre von steigendem Licht: „O LAMM GOTTES
UNSCHULDIG . . ." Licht ohne Gestern, gedächtnislos,
Als wäre nicht Mitternacht und der angeschossene
Wächter gewesen, der in der Garage zusammenbrach.
Liebliches, klares, frohlockendes Frühlicht, du heiliger
Osten, empfangen von tausend östlichen Fenstern,
Die wie mit Freudentränen gereinigten Wangen
Glänzen, und noch der mürrische Mauerbewurf
An den abgelebtesten Häusern erschauert,
Selbst das verstockte Verwaltungsgebäude errötet
Linkisch und steht wie getauft.

Reisende, wenn es im Nachtzug zu dämmern beginnt,
Treten hinaus auf den Gang und schütteln den Schlaf ab,
Schweren, klebrigen Schlaf und leichten Urindunst,
Staub und Tabak und die schmutzige Zeitung von gestern.
Wind entsteht, vorweltlicher Wind, und rosige
Luft, so würzig und kalt wie frisch gefallener
Osterschnee, und welch ein Ausbruch im Herzen
Von unverhoffter Kraft! Wie der entlassene
Wasserdampf aus dem Kessel der Lokomotive,
Heiß, weiß und schreiend am glänzenden Bug der
  Maschine –,
Wie der gemeinsame Auftrieb, die Spannung der Muskeln
In einer Rotte von Straßenarbeitern, die stehen
Wach und gedrängt auf der Ladebrücke des Diesels
Vor der geschlossenen Schranke und fühlen den Motor
Zittern und stampfen, dem eigenen Herzschlag zuwider,
Und es wölbt sich der Gaumen in einem leichten

Kaffeerausch. Bald wird der Übungsflieger
Kommen, den Himmel erobern und das Unendliche
Über ihnen mit gasigen Schleifen beschreiben.

Seele, wie leckst du den Tau von der auferstandenen
Schöpfung:
Blankäugig, nüchtern und schuldlos, wie wenn du mit
Kindern
Redetest über Tiere und Puppen und ließest
Sie einen Bären malen, ein Haus, einen Wagen.
Aber die Zeitung wird dir gebracht, und du nimmst sie,
Nimmst das Frühstück, die Post, die erste Zigarette,
Nachrichten naschend und weltbegierig und Zeit
Raffend, schon zeigen sich Flecken, schon hast du die
Ungeduld
Wieder, das Trübe im Blut. Und dann die Geschäfte:
Straßen befahren und Geld ausgeben, Benzin
Verschwenden, Speichel und Schweiß. Verschiedene Stoffe
Nehmen und brauchen. Wege und Umwege,
Auftritte, Mensch gegen Mensch, Gefühl füreinander:
Mitleid, Begehren und rauchlos verwehende Trauer.
Abschiede, die dich entleeren, eine Alte am Obststand,
Die dir Bananen verkauft. Das unersättliche Leben
Dringt und frißt sich hinein in die Welt, und maßlos
Kauft es die Zeit aus, und niemand kann es bezahlen.
Aber die kauft uns zurück und frißt uns die Jugend
Weg vom Gesicht und bringt unsre Blöße zutage:
Zeitkranke Augen, der Blick überanstrengt, die Züge
Abgequält, tief eingeschnitten, verbraucht
Wie die zuschanden gefahrenen Straßen des Krieges.

Abends erst kennt man die Summe der Schuld. Wie teuer
War uns die Zeit, ein uneröffnetes Schreiben,
Das wir am Morgen empfingen. Ach, und wir haben es
Längst zerrissen, verbrannt, und der Morgen ist unwieder-
    bringlich.
Haben an Dingen und Menschen gezehrt und einer dem
    andern
Tränen entpreßt und Lust geraubt, in ein fremdes
Schicksal hineingewühlt, und mit geflüsterten Silben
Unaustilgbares angezettelt, Gesetze gebrochen,
In einem fernen Gebüsch, in einem verrufenen Steinbruch
Ein Unheil, das noch nicht zeitig ist, aufgescheucht.
Hat man nicht mittags ein Weib aus dem Wasser gezogen?
Einst war sie keusch wie der ziehende Mond, dann wollte
Jemand sie haben und jetzt der Tod, der sie schamlos macht,
Der ihr den Rock hochzieht und sie läßt es träge geschehn.
Abends gibt es die Liebe, den Rausch und die plötzliche
Herzattacke. Es taumelt einer hinaus,
Whisky im Mund, Zigarettenrauch in den Haaren,
Stellt vor dem Spiegel im Badezimmer sein bleiches,
Schweißiges Antlitz sich selbst entgegen und fragt:
Wo ist das Böse in meinem Gesicht? Wie lautet der
    Schuldschein,
Der mein Sein und Leben betrifft? So wird man geboren
Und hat schon unterschrieben. Der Tod ist, sagt man,
Der Sünde Sold. Wenn aber der Tod nicht ausreicht
Und längst verrechnet ist, wer kauft uns frei?

HANS EGON HOLTHUSEN

Morgens

Der Omnibus rattert wie Regen über das Pflaster.
Montag: die Gesichter sind verlorene Paradiese,
vor denen die Frühe mit feurigem Uhrzeiger wacht.

Feierlich wird das Wochenende bestattet:
Fahrgäste mit gesenktem Kopf, bewegt von schlingernder
    Eile.
Der Schaffner drückt einen Fahrschein wie Beileid in jede
    Hand.

Wenn ich hinaufgehe, klirrt das Treppenhaus noch
wie festliches Glas. Doch wenn die Besucher kommen,
hört es sich stumpf an wie verblichene Oden.

CARL GUESMER

Mittags um zwei

Der graue Spitz des Pfarrers
an der Sakristeitür.
Vor seinen erblindenden Augen
schwirren im Sand die Flügel der Sperlinge.

Er spürt wie Erinnerungen
die Schnur des Fasanenbündels,
die in der Friedhofsmauer als Riß erschien,
das Beben der Grabsteine,
wenn die Raupe buckelt vorm lähmenden Stich,
die Verfärbung der Ziegel
beim Schrei des sterbenden Maulwurfs.

Gelassen vernimmt er
das Gerücht aus den Wäldern,
die Tore des Paradieses würden geöffnet.

GÜNTER EICH

Heute abend

In dieser Straße lebe ich also.
Der Zaun, die Telefonzelle, wie sind sie nah,
auch die Häuser, an denen ich vorbeigehe,
verändert, unverändert seit Jahren.

Vom Flughafen das Licht des Scheinwerfers
kreist nachts über den Dächern,
huscht über die Fenster,
hinter denen ich also wohne.

Vor mich hintrottend
spüre ich der Luft schöne Kälte.
In diesem Körper bin ich also,
gehüllt in diesen Mantel.

Das Metall des Schlüssels,
mit dem ich die Tür öffnen werde,
zum wievielten Mal, ist heute abend
fester und kühler, als es je war.

WALTER HELMUT FRITZ

Der Radwechsel

Ich sitze am Straßenhang.
Der Fahrer wechselt das Rad.
Ich bin nicht gern, wo ich herkomme.
Ich bin nicht gern, wo ich hinfahre.
Warum sehe ich den Radwechsel
Mit Ungeduld?

BERTOLT BRECHT

Jenes Gehäuse

Jenes Gehäuse . . . Hieronymus . . .
ich glaube, es ist

März, noch liegt
Schnee.

Und
Spuren tretend
draußen im Weißen,

denke ich freundlich
an den Schädel
da drinnen.

ERNST MEISTER

Freundschaft

Für Eva Hesse

Wartend bis ich vom Spaziergang
wiederkomme,
sitzt meine Katze
auf der vereisten Landstraße;
die weiße Brust
gut zu unterscheiden
von den verschneiten Äckern ringsum.

CYRUS ATABAY

Heute noch

Heute kann ich dich ruhig
Schlafen gehen lassen,
Während ich mit einigen Männern
Noch eine Weile in der Straße
Den Mond betrachte.
Langsam wird er sich
Vor unseren Augen verändern,
Da der Zyklon sich nähert.

Wenn es mir gelänge,
Die Hunde zu überhören,
Die sich in der Ferne
Um die ersten Toten zanken!
Ihr Gebell hat schon das heisere Metall,
Das auch in unseren Stimmen sein wird,
Morgen,
Wenn die verbrannten Gesichter
Aus den Fenstern hängen
Und die blauen Silben des Wassers
Zu roten Buchstaben zerfallen.

KARL KROLOW

Angsttraum

Ich muß mich von mir trennen.
Ich werde weggeführt
von mir.
Ich strecke die Hände aus
nach mir,

aber ich biege um eine Ecke
und verlasse mich, die ich weggeführt werde
in einem Sträflingskleid.

Nach vier Ecken kommt die gleiche Straße
für den der um die Ecke biegt,
weiter hinten
die gleiche Straße.
Aber dann würde ich weit sein,
weit weggeführt,
die ich die Arme strecke
nach mir, die um die Ecke biegt.

HILDE DOMIN

Die Irre

Beaune, Côte d'Or, den 14. 10. 1927

Mit runzligen Lippen schlürfe ich Wermut.
Von meinen Nüstern tropft Ruß und Teer.
Meine Augen liegen auf Feldern, bestellt mit Schwermut,
Und darum habe ich keine Blicke noch Tränen mehr.
Mein Kind wohnt ganz allein
Im Garten unter dem harten, mächtigen Stein.

O seht! O seht! Welch einen Kopf muß ich tragen!
Rot und gelb, halb Schwefel, halb Ton.
Der meine ward mir zerbrochen und abgeschlagen
vom Fallbeil der Großen Revolution.
Da hat mich der Böse durch alle Sternentiere, Löwen und
Widder, gehetzt
Und mir im Krebs den Kopf einer Teufelin aufgesetzt.

Jäger und Schergen, Henkersknechte,
O Gendarmen der ganzen Welt in Wut!
Mein häßliches Haupt tut doch nicht das Schlechte;
Schaut her! Meine Hände sind gut.
So schön mit Blumen geschmückt wie ein Grab,
Als sein Grab.
Ich pflückte sie alle den Parkbeeten und den Kränzen am
Totenmal ab.

Ich will alles Land erfüllen mit meinen lauten Gladiolen,
Mein Herz zerreiß ich in Nelken, es über den Erdball zu
streun,
Über ganz Frankreich, über ganz Deutschland, über ganz
Belgien, über ganz Polen!
Für meinen Sohn soll das sein; da wird er sich freun.
Er kam aus dem Kriege mit einem zu wilden, zottigen Bart,
Und sie fürchteten sich vor ihm und haben ihn eingescharrt.

Die Stadt wächst immer größer, je weiter ich gehe,
Sie reckt sich, verrückt sich, daß ich mein Ziel nie erreichen mag.
Wenn ich abends am Friedhofstor stehe,
Kehrt es sich von mir fort, jedesmal, in den morgigen Tag.
Ich setz mich vors Schulhaus, nicke den Kleinen mit meinem
roten Krebshaupt voll Grind;
Denn wo ich auch sitze: immer geh ich zu meinem Kind

GERTRUD KOLMAR

Alter Mann am Sonntag

Dem Sonntag sind Beere und Dorn
Und Klatschmohn vonnöten.
Fern vor dem bronzenen Korn
Glitzern Trompeten.

Wohin die Männer wohl gehn,
Ins Feuer zu blasen?
Die Türme der Dörfer stehn
Wie leere Vasen.

Mir der schönste Klang
Ist der leise
Des Wassers im Klostergang,
Er tönt weise.

Ich steh und kühl' das Gesicht
Unter der Röhre,
Derweil sich der Klang unterbricht,
Als ob ich ihn störe.

GEORG VON DER VRING

Mit verbundener Hand

Der sich beim Kürbisschälen schneidet,
Er soll das Blut abtröpfeln lassen
Und, ist das Messer ihm verleidet,
Verbundener Hand die Feder fassen:
Er wird mit dem, was not sei, tränken
Die wenigen Worte, sollt ich denken.

Wird heile Hand die Feder fassen,
Ist ihre Unrast schwer zu lenken,
Sie baut aus Zeilen sich Terrassen,
Das Auge folgt ihr mit Bedenken,
Worauf sie stockt und sich bescheidet
Und wiederum lieber Kürbis schneidet.

GEORG VON DER VRING

Der Garten haucht

Der Garten haucht. Die Sonne glüht.
Mein Fensterchen im Wind sich müht
und schimmert auf und schimmert zu.
Die Stube träumt in Sommerruh.

Die Stube trank den Rosenduft!
Und Stuhl und Tisch und Säulenschrank
traumschwanken durch die runde Luft.
Vom Ofen schwimmt die Bank.

Die Mutter goldne Äpfel schält.
Die Stubenuhr, voll reifer Zeit,
der Stunde leis ihr Stimmlein leiht.
Ich schlummere, mit Gott vermählt.

RICHARD BILLINGER

Alte Frau

Sie fegt die Steinplatten
ihres kleinen Gartens.
Sie sammelt die Zwiebeln ein,
die der Wind getrocknet hat.
Dann steht sie am Zaun,
ihrer Nachbarin zuhörend, der Not,
während sie einige verblühte Astern
zwischen den Fingern zerreibt.

WALTER HELMUT FRITZ

Mein Vater sagte...

Mein Vater sagte: bin ich einmal alt,
so will ich nur noch Obst und Rosen ziehn.
Sein Alter kam in anderer Gestalt
und (ob er's auch verschwieg) enttäuschte ihn.

Ich würde gerne, bin ich einmal alt,
mich sommers an den schnellen Schwalben freun
und, wird es dann im Winter bitterkalt,
den biedern Spatzen Brot vors Fenster streun.

Und abends sitz ich sinnend vorm Kamin
und sehe, wie die Glut das Buchenscheit
verzehrt (es ist doch alles nur geliehn),
und sehe durch die Scheibe, wie es schneit.

PETER GAN

Teils-Teils

In meinem Elternhaus hingen keine Gainsboroughs
wurde auch kein Chopin gespielt
ganz amusisches Gedankenleben
mein Vater war einmal im Theater gewesen
Anfang des Jahrhunderts
Wildenbruchs „Haubenlerche"
davon zehrten wir
das war alles.

Nun längst zu Ende
graue Herzen, graue Haare
der Garten in polnischem Besitz

die Gräber teils-teils
aber alle slawisch,
Oder-Neißelinie
für Sarginhalte ohne Belang
die Kinder denken an sie
die Gatten auch noch eine Weile
teils-teils
bis sie weiter müssen
Sela, Psalmenende.

Heute noch in einer Großstadtnacht
Caféterrasse
Sommersterne,
vom Nebentisch
Hotelqualitäten in Frankfurt
Vergleiche,
die Damen unbefriedigt
wenn ihre Sehnsucht Gewicht hätte
wöge jede drei Zentner.

Aber ein Fluidum! Heiße Nacht
à la Reiseprospekt und
die Ladys treten aus ihren Bildern:
unwahrscheinliche Beautys
langbeinig, hoher Wasserfall
über ihre Hingabe kann man sich garnicht erlauben
nachzudenken.

Ehepaare fallen demgegenüber ab,
kommen nicht an, Bälle gehn ins Netz,
er raucht, sie dreht ihre Ringe
überhaupt nachdenkenswert

Verhältnis von Ehe und Mannesschaffen
Lähmung oder Hochbetrieb.

Fragen, Fragen! Erinnerungen in einer Sommernacht
hingeblinzelt, hingestrichen,
in meinem Elternhaus hingen keine Gainsboroughs
nun alles abgesunken
teils-teils das Ganze
Sela, Psalmenende.

GOTTFRIED BENN

Herkunft

Mein Vater war ein Bauernknecht
aus der hinteren Kraßnitz, die Mutter war
eine Magd aus Dreifaltigkeit
(einem Bergdorf zwischen Gurk und Glan).
Sie wurden in Weitensfeld vorm Altar
zusammengetan. Ein Stall an der Gurk
war ihre Wohnung, es schaute im März
das hohe Wasser zum Fenster herein.
Geboren wie das Osterlamm,
wuchs ich auf wie das Vieh im Grünen,
mich wuschen und kämmten Regen und Wind,
mich summten die Fliegen in Schlaf.
Am Schlachttag versteckte ich mich im Wald,
sie suchten mich mit dem Hund.
Der Vater nannte mich Bubenspott.
Er sprach vom mächtigen Antichrist
und vom Herrn der Welt, der im Beutel sitzt.
Die Mutter sang: Noch schlug kein Stein

dein Händchen blutig. Sie nannte mich ihr Jesulein.
Ich klaubte Steine im Acker aus,
bevor der große Krieg kam.
Noch seh' ich Vater und Mutter im Bett
mit nassen Gesichtern liegen,
noch sehe ich ihn seinen Koffer tragen
zur Bahnstation im Vierzehnerjahr.
Als der Vater zurückkam, erbleichte die Mutter.
Sein schwarzes Holzbein pochte durchs Haus.
Er zitterte wie ein Bettelmann und bat um Schnaps.
Er weinte ein wenig, als er mich sah.
Ich wich zur Türe hinaus.
Sooft einer sagte: Trink nicht so viel!
schrie er sich rot und blau
und trampelte mit dem Holzbein.
Und zornig aß er sein letztes Brot.

MICHAEL GUTTENBRUNNER

Heimweh

nach den Wolken über dem Garten in Papenburg
nach dem kleinen Jungen der ich gewesen bin
nach den schwarzen Torfschuppen im Moor
nach dem Geruch der Landstraßen als ich 17 war
nach dem Geruch der Kommißspinde als ich Soldat war
nach der Fahrt mit meiner Mutter in die Stadt Leer
nach den Frühlingsnachmittagen auf den Bahnsteigen der
Kleinstädte
nach den Spaziergängen mit Lilo Ahlendorf in Dresden
nach dem Himmel eines Schneetags im November
nach dem Gesicht Jeanne d'Arcs in dem Film von Dreyer
nach den umgeschlagenen Kalenderblättern

nach dem Geschrei der Möwen
nach den schlaflosen Nächten
nach den Geräuschen der schlaflosen Nächte

nach den Geräuschen der schlaflosen Nächte

HELMUT HEISSENBÜTTEL

Leben eines Mannes

Gestern fuhr ich Fische fangen,
Heut bin ich zum Wein gegangen,
– Morgen bin ich tot –
Grüne, goldgeschuppte Fische,
Rote Pfützen auf dem Tische,
Rings um weißes Brot.

Gestern ist es Mai gewesen,
Heute wolln wir Verse lesen,
Morgen wolln wir Schweine stechen,
Würste machen, Äpfel brechen,
Pfundweis alle Bettler stopfen
Und auf pralle Bäuche klopfen,
– Morgen bin ich tot –
Rosen setzen, Ulmen pflanzen,
Schlittenfahren, fastnachtstanzen,
Netze flicken, Laute rühren,
Häuser bauen, Kriege führen,
Frauen nehmen, Kinder zeugen,
Übermorgen Kniee beugen,
Übermorgen Knechte löhnen,
Übermorgen Gott versöhnen –
Morgen bin ich tot.

WERNER BERGENGRUEN

Letzte Fahrt

Mein Vater kam im Weidengrau
und schritt hinab zum See,
das Haar gebleicht vom kalten Tau,
die Hände rauh vom Schnee.

Er schritt vorbei am Grabgebüsch,
er nahm den Binsenweg.
Hell hinterm Röhricht sprang der Fisch,
das Netz hing naß am Steg.

Sein altes Netz, es hing beschwert,
er stieß die Stange ein.
Der schwarze Kahn, von Nacht geteert,
glitt in den See hinein.

Das Wasser seufzte unterm Kiel,
er stakte langsam vor.
Ein bleicher Streif vom Himmel fiel
weithin durch Schilf und Rohr.

Die Reuse glänzte unterm Pfahl,
der Hecht schlug hart und laut.
Der letzte Fang war schwarz und kahl,
das Netz zerriß im Kraut.

Die nasse Stange auf den Knien,
die Hand vom Staken wund,
er sah die toten Träume ziehn
als Fische auf dem Grund.

Er sah hinab an Korb und Schnur,
was grau als Wasser schwand,
sein Traum und auch sein Leben fuhr
durch Binsen hin und Sand.

Die Algen kamen kühl gerauscht,
er sprach dem Wind ein Wort.
Der tote Hall, dem niemand lauscht,
sagt es noch immerfort.

Ich lausch dem Hall am Grabgebüsch,
der Tote sitzt am Steg.
In meiner Kanne springt der Fisch.
Ich geh den Binsenweg.

PETER HUCHEL

HOCHVEREHRTES PUBLIKUM

Liedchen

Die Zeit vergeht.
Das Gras verwelkt.
Die Milch entsteht.
Die Kuhmagd melkt.

Die Milch verdirbt.
Die Wahrheit schweigt.
Die Kuhmagd stirbt.
Ein Geiger geigt.

JOACHIM RINGELNATZ

Frühlingsepistel

O herrlicher Heinrich! komm! eile herbei!
Es ist hier im Februar warm wie im Mai!
Im Zoo, woselbst ich mich gestern erging
(an meinem Geburtstag) und Grillen fing, –
im Zoo, mein Heinrich, blühen bereits
die Haselnußkätzchen! Und andererseits
benahm sich die Fauna nicht weniger lenzlich.
Im Affenhaus wurde die Sache fast brenzlich,
weswegen die Eltern die Kinder entfernten,
damit sie vom Frühling nicht allzuviel lernten.
Und o die Fasanen! welch Wunder aus Farben,
das uns die Abstrakten so gründlich verdarben!
Der Kondor ließ sich's durch kein Gitter verwehren,
im Traum über ewige Eiskordilleren
gebreiteter Schwingen im Sitzen zu fliegen.
Und, Heinrich, wie riechen die indischen Ziegen!
Das Lama spie wie ein Hafenarbeiter.

Der Uhu blinzelte wie ein gescheiter
Professor und kühl wie ein Aristokrat.
Das Thermometer zeigte zwölf Grad,
und zwar (auf mein Ehrenwort!) Réaumur!
O Heinrich, der Frühling steht vor der Tür!
So eile mit deiner Gemahlin herbei!
Wie schnell, nebenbei, eilt das Leben vorbei!
Ich selber will eilen, zwei Zimmer zu nehmen:
die billigeren, aber dennoch bequemen!
Man kriegt sie nur, wenn man die Zimmermagd tippt!
Das Weitre in Prosa und als Postskript.

PETER GAN

Meierei

Quarkgemäuer.
Lehmkuchen.
Meierei in der Lößnitz.
Hahnenschrei glänzt wie Fayence.
Taxushecke dunkelt.
Hochzeitskleid.
Kapelle schwillt.
Vergißmeinnicht,
einst
Blume der Hetären.
Spaziergang volièrenbunt.
Glasbläser trinken.
Nachmittagsgäste
sitzen auf dem breiten
Backblech des Hofes
Erwartend
rosinfarbnen Abend.

DIETER HOFFMANN

Brauerei

Das Wappen der Stille
ist hopfenumkränzt.

Eine Bierwelt
fällt in den Himmel
des Böhmischen Glases,
wehmütig wolkenumschäumt.
Schwarz nicken Tannen hinein . . .

Die Pferde wiehern
rubindurchblutet
im Brauhof.
Sie fahren Trunkenheit
in die Schenken der Stadt,
wo den Männern
das Kartenspiel
aus der Hand blüht –
mit Löwen, Dianen und Lindenlaub.

Dunkelnde Flaschenhälse
haben sich über die Kindheit gereckt.

DIETER HOFFMANN

Le Revenant Libertin

„Libertin: Terme de fauconnerie. Se dit de l'oiseau de proie qui . . . ne revient pas."

Littré

Käm' ich gerne wieder auf die Erde?
etwa mit den toten Göttern? – Nein!
Der Erinnerungen Herzbeschwerde
würde mir zu unvergessen sein.

Dürfte ich jedoch vergessen; stünden
mir auch ein paar andre Wünsche frei
(ohne jeden einzeln zu begründen),
wär' ich gerne wieder mal dabei.

Einen grünen, epikurisch kleinen
Garten wünscht' ich mir ums stille Haus,
und im Haus ein Cembalo und einen
gastlichen Kamin. So halt ich's aus

dazusein, um nach des Tages Plagen,
(denn wir bleiben, ach, die Enkel Kains!),
abendlich die Flamme zu befragen:
beispielsweise nach dem Sinn des Seins.

Dürft' ich noch was wünschen, wär's ein Boot, um
auf dem Teich zu angeln, schilfumhegt;
ferner ein verläßliches Faktotum,
das für alles andre Sorge trägt;

ferner Bücher (viele) und, am meisten,
ein Geliebtes, dunkelschön und schlank,
mir Gesellschaft in der Nacht zu leisten.
Übertriebene Einsamkeit macht krank.

PETER GAN

Ansprache eines Fremden an eine Geschminkte vor dem Wilberforcemonument

Guten Abend, schöne Unbekannte! Es ist nachts halb zehn.
Würden Sie liebenswürdigerweise mit mir schlafen gehn?
Wer ich bin? – Sie meinen, wie ich heiße?

Liebes Kind, ich werde Sie belügen,
Denn ich schenke dir drei Pfund.
Denn ich küsse niemals auf den Mund.
Von uns beiden bin ich der Gescheitre.
Doch du darfst mich um drei weitre
Pfund betrügen.

Glaube mir, liebes Kind;
Wenn man einmal in Sansibar
Und in Tirol und im Gefängnis und in Kalkutta war,
Dann merkt man erst, daß man nicht weiß, wie sonderbar
Die Menschen sind.

Deine Ehre, zum Beispiel, ist nicht dasselbe
Wie bei Peter dem Großen L'honneur. –
Übrigens war ich – (Schenk mir das gelbe
Band!) – in Altona an der Elbe
Schaufensterdekorateur.

Hast du das Tuten gehört?
Das ist Wilson Line.

Wie? Ich sei angetrunken? O nein, nein! Nein!
Ich bin völlig besoffen und hundsgefährlich geistesgestört
Aber sechs Pfund sind immer ein Risiko wert.
Wie du mißtrauisch neben mir gehst!
Wart nur, ich erzähle dir schnurrige Sachen.
Ich weiß: Du wirst lachen.

Ich weiß: Daß sie dich auch traurig machen,
Obwohl du sie gar nicht verstehst.
Und auch ich –
Du wirst mir vertrauen – später, in Hose und Hemd.
Mädchen wie du haben mir immer vertraut.

Ich bin etwas schief ins Leben gebaut.
Wo mir alles rätselvoll ist und fremd,
Da wohnt meine Mutter.– Quatsch! Ich bitte dich: Sei recht laut!

Ich bin eine alte Kommode.
Oft mit Tinte oder Rotwein begossen;
Manchmal mit Fußtritten geschlossen.
Der wird kichern, der nach meinem Tode
Mein Geheimfach entdeckt. –

Ach Kind, wenn du ahntest, wie Kunitzburger Eierkuchen
schmeckt!
Das ist nun kein richtiger Scherz.
Ich bin auch nicht richtig froh.
Ich habe auch kein richtiges Herz.
Ich bin nur ein kleiner, unanständiger Schalk.
Mein richtiges Herz. Das ist anderwärts, irgendwo
Im Muschelkalk.

JOACHIM RINGELNATZ

Alabama-Lied

Ich kam von Alabama übern großen Teich daher,
Und ich habe kein Pyjama und auch keinen Strohhut mehr.
Als ich meine Braut verließ, da sprang sie hinter mir ins
Meer.
Doch die beste Braut des Kriegers ist bekanntlich das
Gewehr.
Chor: „Oh – Su – Sanna, – das ist schon lange her –"
Drum wein dir nicht die Augen aus, wenn ich nicht
wiederkehr.

Als ich von Alabama zog, fiel der Regen dick und schwer,
Und es regnet bei der Überfahrt und in Frankreich noch viel
mehr.
Und es regnet bei der großen Schlacht, und der Himmel wird
nicht leer,
Und es regnet auf den Micky Quirt und auf das ganze Heer.
Chor: „Oh – Su – Sanna, – drum weine nicht so sehr –"
Denn wir haben nasse Brocken an, doch ein trocknes
Schießgewehr.

Und wenn du in Alabama hörst, daß wieder Frieden wär,
Dann nimm dir einen Cornedbeefkonservenmillionär.
Leg deine Wang an seine Wang und sprich: For you I care –!
Denn dein Micky war ein Frontsoldat, und das ist jetzt nicht
mehr fair.
Chor: „Oh – Su – Sanna, – das Leben ist nicht schwer –"
Und für einen toten Bräutigam kommen tausend neue her.

CARL ZUCKMAYER

Die Ballade vom blutigen Bomme

Hochverehrtes publikum
werft uns nicht die bude um
wenn wir albernes berichten
denn die albernsten geschichten
macht der liebe gott persönlich
ich verbleibe ganz gewöhnlich
wenn ich auf den tod von Bomme
meinem freund zu sprechen komme

möge Ihnen nie geschehn
was Sie hier in bildern sehn

Zur beweisaufnahme hatte
man die blutige krawatte
keine spur mehr von der beute
auf dem flur sogar die leute
horchen was nach außen dringt
denn der angeklagte bringt
das gericht zum männchenmachen
und das publikum zum lachen

seht die herren vom gericht
schätzt man offensichtlich nicht

Eisentür und eisenbett
dicht daneben das klosett
auch der wärter freut sich sehr
kennt den mann von früher her
Bomme fühlt sich gleich zu haus

ruht von seiner arbeit aus
auch ein reicher mann hat ruh
hält den sarg von innen zu

jetzt geht Bomme dieser mann
und sein reichtum nichts mehr an

Sagt der wärter: grüß dich mann
laß dirs gut gehn – denk daran
wärter sieht auch mal vorbei
mach mir keine schererei
essen kriegst du nicht zu knapp
Bomme denn dein kopf muß ab
Bomme ist schon sehr gespannt
und malt männchen an die wand

nein hier hilft kein daumenfalten
Bomme muß den kopf hinhalten

Bomme ist noch nicht bereit
für abendmahl und ewigkeit
kommt der pastor und erzählt
wie sich ein verdammter quält
wie er große tränen weint
und sich wälzet – Bomme meint
Das ist alles intressant
und mir irgendwie bekannt

denn was weiß ein frommer christ
wie dem mann zumute ist

Auf dem hof wird holz gehauen
Bomme hilft das fallbeil bauen
und er läßt sich dabei zeit
schließlich ist es doch soweit
daß es hoch und heilig ragt
Bomme sieht es an und sagt:
Das ist schärfer als faschismus
und probiert den mechanismus

wenn die schwere klinge fällt
spürt er daß sie recht behält

Aufstehn kurz vor morgengrauen
das schlägt Bomme ins verdauen
und da friert er reibt die hände
konzentriert sich auf das ende
möchte gar nicht so sehr beten
lieber schnell aufs klo austreten
doch dann denkt er: einerlei
das geht sowieso vorbei

von zwei peinlichen verfahren
kann er eins am andern sparen

Wäre mutter noch am leben
würde es auch tränen geben
aber so bleibt alles sachlich
Bomme wird ganz amtlich-fachlich
ausgestrichen aus der liste
und gelegt in eine kiste
nur ein sträfling seufzt dazwischen
denn er muß das blut aufwischen

bitte herrschaften verzeiht
solche unanständigkeit

Doch wer meint das stück war gut
legt ein groschen in den hut

CHRISTA REINIG

Ballade vom Defraudanten

Es folgt das Lied von einem Defraudanten.
Er war ein guter Mensch. Denn das kommt vor.
Ich hörte es von Leuten, die ihn kannten.
Sperrt eure Ohren auf! Er hieß Franz Moor.

Es hat bekanntlich alles seine Grenzen.
Franz Moor war mittelblond und ohne Arg,
dazu Kassierer, zog die Konsequenzen
und flüchtete mit 100 000 Mark.

Bis Brüssel blieb er im Klosett des Zugs.
Dann war er des Französischen nicht mächtig.
Sie war von schlechtem Ruf und gutem Wuchs.
Und liebten sich. Er fand sie nur zu schmächtig.

Das gibt sich alles. – Dann war sie verblüht.
Mit ihr das Geld, das ihm gar nicht gehörte.
Er weinte fast. Denn er war ein Gemüt.
Das war etwas, was ihn direkt empörte.

Als ihm ein Steckbrief in die Augen stach,
mit seinem Bild – von damals als Gefreiter –
da blieb er stehn und dachte lange nach.
Dann kam ein Polizist. Und Moor ging weiter.

Er sprang ins Wasser, das bei Brüssel floß.
Jedoch vergeblich. Denn er ging nicht unter.
Er trank Lysol, das er in Kognak goß.
Er sprang von einem Aussichtsturm herunter.

Er trieb sich öfters Messer in die Schläfen.
Sechs Kugeln schoß er in den offnen Mund.
Und war verwirrt, daß sie ihn gar nicht träfen!
So tat er manches. Doch er blieb gesund.

Ihm war das peinlich. Und er rang die Hände.
Und er erkannte klar: Er stürbe nicht,
nur weil er das Französisch nicht verstände.
Anschließend stellte er sich dem Gericht.

Moral:
Da sitzt er nun und deutet damit an,
Daß Bildungsmangel gräßlich schaden kann.
Es ist der Tiefsinn dieses Sinngedichts:
Lernt fremde Sprachen! –
Weiter will es nichts.

ERICH KÄSTNER

Schützenkönigslied

So heftet ihm die Nadel an und hebt ihn hoch empor
den großen König Besenglück, den kleinen Mann im Ohr
und bürstet ihm die Uniform und nehmt dazu den
Flederwisch
und macht es nun den Schwalben nach
im Gleichschritt um den Tisch
und baut euch hier und da ein Nest
und laßt die Feinde nicht herein
und schießt mit Piff und Paff und Puh
auf Purzelbaum und Purzelbein
und tragt den König an den Plan
und macht die Türen sicher zu
und weil ihr jetzt so artig seid, kräht tausendmal der Hahn
und geht dann alle schön zur Ruh
und haltet treu die Wacht am Nest
und hütet euch vor dem, was kommt: Der Rest vom
Schützenfest.

GÜNTER BRUNO FUCHS

Die Kartenlegerin

Das Schiff war schon im Hafen leck.
Man besserte an dem Schaden.
Das Schiff hatte Fässer geladen
Und Passagiere im Zwischendeck.

Mittags stieg eine Negerin
In das Matrosenlogis.
Sie wäre Kartenlegerin,
Bedeutete sie.

„Two shillings" – oder ein Kleidungsstück,
Sie zeigte auf wollene Sachen.
So eine weiß manchmal, wie man sein Glück
Kann machen.

Sie redeten voreinander dumm,
Gaben der Alten zu saufen,
Drückten ihr lachend am Busen herum
Und ließen sie dann laufen.

Nachts hockte die alte, schwarze Kuh
An Deck zwischen Fässern und Tauen.
Vor ihr lag Kuttel Daddeldu
Dienstmüde und dachte an Frauen.

Da legte die Kartenlegerin
Die Karten, die ihn betrafen,
An Deck und murmelte vor sich hin.
Kuttel war eingeschlafen.

Sie murmelte Worte in den Wind.
Das Schiff fing an zu rollen.
Das Schiff und die Menschen darauf sind
Verschollen.

JOACHIM RINGELNATZ

Draußen schneit's

Wir hatten ein Schaukelpferd vorher gekauft.
Aber nachher kam gar kein Kind.
Darum hatten wir damals das Pferd dann Bubi getauft. –

Weil nun die Holzpreise so unerschwinglich sind;
Und ich nun doch schon seit Donnerstag
Nicht mehr angestellt bin, weil ich nicht mehr mag;
Haben wir's eingeteilt. Und zwar:
Die Schaukel selbst für November,
Kopf und Beine Dezember,
Rumpf mit Sattel für Januar.

Ich gehe nie wieder in die Fabrik.
Ich habe das Regelmäßige dick.
Da geht das Künstlerische darüber abhanden.
Wenn die auch jede Woche bezahlen,
Aber nur immer Girlanden und wieder Girlanden
Auf Spucknäpfe malen,
Die sich die Leute doch nie begucken,
Im Gegenteil noch drauf spucken, – –
Das bringt ja ein Pferd auf den Hund.

Als freier Künstler kann ich bis mittags liegen
Bleiben. – Na und die Frau ist gesund.

Es wird sich schon was finden, um Geld beizukriegen.
Anna und ich haben vorläufig nun
Erst mal genug mit dem Bubi zu tun.
Rumpf zersägen, Beine rausdrehn,
Nägel rausreißen, Fell abschälen.
Darüber können Wochen vergehn.

Das will auch gelernt und verstanden sein,
Sonst kann man sich daran zu Tode quälen.
Solches Holz ist härter als Stein.
Dann spalten und Späne zum Anzünden schneiden
Und tausenderlei.
Aber das tut uns gut, uns beiden,
Sich mal so körperlich auszuschwitzen.

Außerdem kann man ja dabei
Ganz bequem auf dem Sofa sitzen;
Raucht seine Pfeife, trinkt seinen Tee,
Und vor allem: Man ist eben frei!
Man hat sein eigenes Atelier.
Man hat seinen eigenen Herd;
Da wird ein Feuerchen angemacht –
Mit Bubipferd –,
Daß die Esse kracht.
Und die Anna singt, und die Anna lacht.
Da können wir nach Belieben
Die Arbeit auf später verschieben.

Denn wenn man das Gas uns sperren läßt
Oder kein Bier ohne Bargeld mehr gibt,
Dann kriechen wir gleich nach Mittag ins Nest
Und schlafen, solange es uns beliebt.

Freilich: Der feste Lohn fällt nun fort,
Aber die Freiheit ist auch was wert.
Und das mit dem Schaukelpferd
Ist jetzt unser Wintersport.

JOACHIM RINGELNATZ

Zugefroren

Als es kälter wurde,
das Lachen hinter den Scheiben blieb,
nur noch als Päckchen und Brief
zweimal am Tage ins Haus kam,
als es kälter wurde
rückte das Wasser zusammen.

Wer etwas versenken wollte,
der Dichter vielleicht einen Hammer,
ein Mörder drei mittlere Koffer,
der Mond ein Pfund weißen Käse,
wer etwas versenken wollte
stand vor verriegeltem Teich.

Kein Lot gab mehr Antwort,
kein Stein der durchfiel,
grünschielende Flaschen lagen dem Eis an,
bodenlos und vergeblich rollte der Eimer,
kein Lot gab mehr Antwort
und alle vergaßen wie tief.

Wer Glas zerbricht,
die Jungfrau nicht schon am Sitzen erkennt,
wer hinter dem Spiegel ein Ei aufstellt
und vor dem Spiegel die Henne,
wer Glas zerbricht
weiß immer noch nicht was der Frost verbirgt.

GÜNTER GRASS

Stille Winterstraße

Es heben sich vernebelt braun
Die Berge aus dem klaren Weiß,
Und aus dem Weiß ragt braun ein Zaun,
Steht eine Stange wie ein Steiß.
Ein Rabe fliegt, so schwarz und scharf,
Wie ihn kein Maler malen darf,
Wenn er's nicht etwa kann.
Ich tapse einsam durch den Schnee.
Vielleicht steht links im Busch ein Reh
Und denkt: Dort geht ein Mann.

JOACHIM RINGELNATZ

Kurz vor der Weiterreise

In Eile – in vierzig Minuten
Geht mein Zug. Denke dir nur:
Die gelbe Tasche mit Frack und den guten
Hosen, vier Hemden und Onkel Karls Uhr,
Die Metamorphosen des Tacitus,
Zwei Unterwäschen, fast sämtliche Kragen,
Sogar das Glas mit dem Bandwurm in Spiritus
Und vieles andere. – Schluß – herzlichen Gruß.

Ich muß dir ja noch die Hauptsache sagen:
Das alles haben sie mir gestohlen.
Ich habe hier Blut geschwitzt.
Der Teufel soll Berlin holen!

Denn auch mein neuer Hut ist vertauscht.
Pfenniger läßt dich grüßen. Er sitzt
Neben mir. Wir sind dir gut, aber ziemlich berauscht.

JOACHIM RINGELNATZ

Reif zum Aussteigen

In dem Zug der von A. nach B. fuhr
einer kurzen Fahrt von ungefähr dreiviertel Stunden
befand sich kaum ein echter Aussteiger im Wagen.
In B. der Endstation
stiegen wie notgedrungen
drei Reisende aus.
Die übrigen saßen traurig da.
Die meisten behaupteten
daß sie wenigstens noch drei- bis viermal
von A. nach B. fahren müßten
um reif zum Aussteigen zu sein.
Teils waren die Reisenden von der Zeitkrankheit
dem Hiersein und Dortsein befallen
und schauten mit kläglichen Augen in das Leere.
Es befanden sich unter den Nichtaussteigern
auch solche, die behaupteten
mehr oder minder tot zu sein
und sich unmöglich
von ihren Sitzen erheben zu können.
Diese baten um Blumenkränze und Blumenspenden.
Schließlich waren noch einige da
und diese waren nicht von der gewöhnlichsten Sorte
die sich zusammenrollten
fester und fester zusammenzogen

zusammenpreßten
so daß die Kleider krachten und platzten
und von der sich bildenden lebenden Kugel
aufgesogen wurden.
Mit diesen Nichtaussteigern
war überhaupt nichts anzufangen.
Sie beharrten darauf Kugel zu sein
und wurden langsam hart und härter.
An der Endstation wurden sie aus dem Wagen gerollt
und waren dort vor dem Bahnhofsgebäude
noch längere Zeit zu besichtigen.

HANS ARP

Die Schnupftabakdose

Es war eine Schnupftabakdose,
Die hatte Friedrich der Große
Sich selbst geschnitzelt aus Nußbaumholz.
Und darauf war sie natürlich stolz.

Da kam ein Holzwurm gekrochen.
Der hatte Nußbaum gerochen.
Die Dose erzählte ihm lang und breit
Von Friedrich dem Großen und seiner Zeit.

Sie nannte den alten Fritz generös.
Da aber wurde der Holzwurm nervös
Und sagte, indem er zu bohren begann:
„Was geht mich Friedrich der Große an!"

JOACHIM RINGELNATZ

Die Spitzen der Pyramiden

Die Spitzen der Pyramiden blitzen.
Die alten Ägypter
haben triumphierend
ihr Werk vollendet
und verstummen.
Nun gähnen sie
in ein gemeinsames
elfenbeinernes Gähnkästchen
putzen sich ihre Augen
aus Spiegelglas spiegelblank
und verneigen sich
vor einem gewaltigen hornbewehrten
einbalsamierten Falter.
Warum sollten sie nicht
auch Atem schöpfen?
Sie schöpfen also einige Male
und begeben sich alsdann
mit frischen Kräften
jubilierend trillernd schmetternd
an den Bau der nächsten Pyramide.

HANS ARP

Opus Null (2)

Er zieht aus seinem schwarzen Sarg
Um Sarg um Sarg um Sarg hervor.
Er weint mit seinem Vorderteil
Und wickelt sich in Trauerflor.
Halb Zauberer halb Dirigent
Taktiert er ohne Alpenstock
Sein grünes Ziffernblatt am Hut
Und fällt von seinem Kutscherbock.
Dabei stößt er den Ghettofisch
Von der meublierten Staffelei.
Sein langer Würfelstrumpf zerreißt
Zweimal entzwei dreimal entdrei.

HANS ARP

Lamento bei Glatteis

Sanna, Sanna.
Meiner Puppe trocknes Innen,
meiner Sanna Sägespäne
hingestreut, weil draußen Glatteis,
Spiegel üben laut Natur.
Weil die Tanten, die nach Backobst,
auch Muskat, nach dem Kalender,
süß nach Futteralen riechen.
Weil die Tanten in den schwarzen,
lederweiten Blumentöpfen
welken und Gewicht verlieren.
Sanna, Sanna, weil die Tanten
stürzen könnten, weil doch Glatteis,
könnten brechen überm Spiegel,

zweimal doppelt, Töpfe, Blumen.
Offen würden Futterale
und Kalender, kurz nach Lichtmeß,
der Vikar mit blauen Wangen
weihte Kerzen und den Schoß.

Späne nicht, so nehmt doch Asche.
Nur weil Tanten, meiner Sanna
ungekränktes, trocknes Innen
mit dem Schweiß der Spiegel nässen.
Sanna nein. Der Duft um Kerne
aufgetan, das Bittre deutlich,
so als wär der Kern die Summe
und Beweis, daß Obst schon Sünde.
Aufgetan, nein Sanna schließe
dein Vertrauen, dein Geschlecht.
Gäb der Winter seine Nieren,
seine graue alte Milz
und sein Salz auf beide Wege.
Könnt dann Sanna, deine, Sanna,
hingestreute Puppenseele
Lerchen in Verwahrung geben.
Sanna Sanna.

GÜNTER GRASS

Schwarze Eier

die flüsse springen wie böcke in ihr zelt.
es ist silbern von silbernen wellen umsäumt.
peitschen knallen und aus den bergen kommen
die schlechtgescheitelten schatten der hirten.

schwarze eier und narrenschellen stürzen
von den bäumen.
gewitter pauken und trommeln bespringen
die ohren des esels.
flügel streifen blumen.
quellen regen sich in den augen der eber.

HANS ARP

Lied zur Pauke

Laut verlacht verlaust verloren
Blut geschluckt und Kopf geschoren
abgetan und ausverkauft und
quergelegt und Haar gerauft und

angepfahlt und abgeschlacht und
alle Knochen klein gemacht und
übern Kopf die Haut gezogen
und mit Eisen aufgewogen

krummgepeitscht und gradgestaucht und
angespuckt und Herz verhaucht und
Hundeschnauzen festgebissen
und die Arme abgerissen

ausgedörrt und kleingezwängt und
Steine um den Hals gehängt und
Riemen um den Bauch geschlungen
und mit Knüppeln umgesprungen

Pflock ins Fleisch und Tritt in Bauch und
aufgehängt in Schnee und Rauch und

Zahn und Zähne ausgeschlagen
und das Gold nach Haus getragen.

Soweit wär er hergestellt nun
abgeschoben in die Welt nun
daß er seine Beine hebe!
daß er weiterlauf und lebe!

CHRISTOPH MECKEL

SCHWARZE SONNE

Chimärenjagd

Ich lief durch Finsternis und rief: Ich sah –
so hört: ich sah – im Licht – das zog des Wegs –
Was zog des Wegs?
Ein Berg, ein Wal, ein Wolf
ein Haufen Schutt, ein schwarzer Inselrest
ein Panzerschiff, ein Rauch, ein Spinnenpack
Gewölk, ein Troll, Jagdhund der Hölle groß
ein Rudel Steine, wechselnd seinen Leib
ein Vielerlei zuhauf, das kroch dahin –
Du sahst es seiner Wege ziehn?
Ich sah:
Das brach durch Rohr, das würfelte Gestein
trieb durch die Lüfte breit, durch Salzflut Sand
die Ebnen ganz bedeckend kroch es fort
am Himmel hin, durch Flüsse zog die Spur
das füllte Wälder schwarz, das wälzte Rauch –
Was trug das Tier am Leib?
Ich sah: das trug
Graskleid und Eisenpanzer, Seide Samt
und Perlenmäntel Kettenröcke schwer
und Stiefel Sporn, verfilztes Fell und Hut
und Schweinshaut, Pferdehaar, ein Kleid aus Glas
darunter Knochen schoben, Schuppen Horn
ein Latz aus bunten Federn Schmutz und Schnee
und Haut aus Holz und Blech und Eis und mehr –
Und seine Glieder?
Krallen, pralles Horn
von Flossen feuchte Strünke, Flügel wild
und Schwingen riesig, Fühler leicht und lang
am Himmel tastend, Tatzen stempelnd tief

die Böden, Stacheln, Schwänze, spitzes Haar
stach in die Luft und wippte weiß und schwer –
Die Augen?
                                Zahllos. Schwarzen Wassers Licht
und Schimmer Glas und Kohle, Rost und Fett
Irrlichtgeflacker, Blendlicht, ein Gewächs
des Zaubers alt und fremd, ein Wildling Glanz
in graue Gruben tief versenkter Strahl
darüber Wimpern hangend feucht und starr –
Was sprach das Tier?
                                            Das Tier? Das sprach – das schrie –
das stampfte, Geldgerassel, Jaulen toll
in einem Mondlichtreich von Hunden, schrie,
ein Steineklappern, Grunzen Ächzen Spott
ein Raunzen Ticken Gähnen Pusten weit
Gekicher halb verschluckt, ein Stöhnen, auch
ein Singen kam, ein Lachen leis, ein Ton –
Was tat das Tier?
                                      Das drehte sich im Kreis
das drang nach Nord und Süd, das quoll und wuchs
in Höhe und in Tiefe, streut sich aus
und sammelt sich an allen Orten, voll
von dem warn Lüfte Städte und Gewässer
die weiten Ebnen ganz bedeckt von dem –

Was war sein Name? Ungenannt. Wo kam es her?
Aus Nächten Wassern Tiefen, war schon, wo ich kam
ich weiß nicht wo, an allen Orten schon
schien ohne Spur von Herkunft, schattenlos –
Was wirst du tun? Ich schwieg. Du sollst es jagen
ward mir geheißen, über Nacht sollst du
das Tier gefesselt auf die Schwelle legen!

Wo soll ich jagen, schrie ich, sagt mir, wo
sitzt dem das Herz, und wo den Anfang machen –

Doch meiner nicht mehr achtend, war man schon
durch Finsternis und Nacht hinweggegangen.

CHRISTOPH MECKEL

Mittagsgesicht

Ausgesungen hat die goldene Stimme der Linden,
die Schindel dörrt, es knistert das Stroh auf den Dächern,
im Holz hockt Brand, wie Zunder zerfällt die Erde,
dröhnend wälzt sich die Sonne durch den Staub.

Auch die Toten, die heimlichen Quellengänger,
haben's nicht länger kühl: es beginnt das Erz in versteinten
Adern wieder zu fließen und mischt sich glühend den
Strömen.
Furchtbar aus fernen Meeren hört man die Fische schrei'n.

CHRISTINE BUSTA

Vater Feuerwerker

Zucker und Honig in Deinen Brei
Die Erde Dein Gärtchen Levkoi und Salbei
Deine Wangen Milch Deine Lippen Blut
Frag nicht, was Dein Vater tut
Nachts wenn du schläfst.

Er rührt im Tiegel
Hinter Schloß und Riegel

Aus Pulver und Blei
Einen anderen Brei.

Er sät im Dorn
Ein anderes Korn
Das wühlt und bebt
Und schießt gen Himmel in Garben.

Wohl denen die gelebt
Ehe sie starben.

MARIELUISE KASCHNITZ

Mäusejagd

Ich rannte durch das leere Haus
und jagte Maus um Maus um Maus
mit Schlegel Flegel Stock Zerzaus
und schröpfte sie mit Schwanz und Flaus.

Es saßen Katzen vor dem Haus
die sangen ohne End von drauß:
Die Maus garaus! die Maus garaus!
nun kommt die Ratte in das Haus!

CHRISTOPH MECKEL

Die Kinder dieser Welt

Die Kinder dieser Welt hab ich gesehen.
Mein Bruder hatte sie eingeladen
Über die sieben Berge zu fahren.
Über die sieben Berge fuhren
Die Kinder dieser Welt.

Auf dem ersten Berg war Jahrmarkt.
Die Kinder riefen, halt an.
Da tanzten über dem Rasenzelt
Milchblaue Bälle mit Nasen.
Haben, riefen die Kinder der Welt.

Auf dem zweiten Berg lief der Sturmwind
Und die Kinder schrien, hol ein.
Sie stampften und griffen ins Steuerrad
Sie ließen die Hupe gellen.
Ich weiß nicht was mein Bruder tat
Um ihrer Herr zu sein.

Auf dem dritten Berg stand die Nebelkuh
Und leckte über das Gras.
Da machten die Kinder die Augen zu
Sie fragten, sind wir nicht blaß?
Wir stürzen in die tiefe Schlucht.
Wer weiß, wer unsre Knöchlein sucht.
Sterben, sagten die Kinder der Welt.

Auf dem vierten Berg war ein Wasser.
Und mein Bruder sagte, vorbei.
Da wollten die Kinder ihn schlagen
Sie sprangen vom fahrenden Wagen
Mitten in den See.
Sie schwammen dort in der Runde
Tief unten am steinigen Grunde
Wie die Kinder der Lilofee.

Auf dem fünften Berg schien die Sonne
Wie sieben Sonnen klar.

Da streckten die Kinder die Arme aus
Und beugten sich weit zu den Fenstern heraus
Mit wehendem Haar
Und winkten und sangen laut dabei
Wie süß die sündige Liebe sei.
Küssen, sangen die Kinder der Welt.

Um den sechsten Berg schlich der Mondmann
Klein und gebückt.
Seinen Hund an der Leine.
Da rückten die Kinder zusammen.
Mein Vater ist verrückt
Mein Bruder hat keine Beine
Meine Mutter ist fortgegangen
Kommt nicht zurück . . .

Auf dem siebenten Berg war kein Haus
Und mein Bruder sagte, steigt aus.
Da wurden sie alle traurig
Und ließen die Luftballons los
Und das lieblichste übergab sich
Gerade in seinen Schoß.

Sie gingen eins hierhin, eins dorthin
Die kleinen Fäuste geballt
Und wir hörten sie noch von ferne
Trotzig singen im Wald.

MARIELUISE KASCHNITZ

Alter Schlaf

Alter Schlaf, wo hast du deine Söhne?
Junge, starke Söhne sollst du haben,
solche Kerle, die noch mehr vermögen
als bloß kommen und die Lampe löschen.
Einer soll zu meiner Angst sich legen,
einer sich auf meine Sehnsucht knien,
feste Fäuste müssen beide haben,
daß die Nachbarn keine Schreie hören.

Was willst du in meine Augen streuen?
Sand? – Ich lache! – eine ganze Wüste
kann ich dir für solche Augen schenken,
die damit sich schon zufriedengeben.

Meine, weißt du, sind zwei Feuersäulen,
einmal wird der Himmel davon brennen!
Aber vorher möcht ich endlich schlafen.
Alter, Alter, hast du keine Söhne?

CHRISTINE LAVANT

Die Nachbarlitanei

Nachbar, leihe mir ein Stück Courage,
meine eigne hab ich aufgebraucht.
Vor mir liegt die finstere Passage,
wo es mir so kalt entgegenhaucht.

Der Sommer fiel von Schnitters Hand.
Der braune Wind befährt das Land.
Es hat der Zorn sich müdgeflucht.

Der Tag hat sich sein Nest gesucht.
Die dunklen Fenster starren taub.
Den Fuß umschnürt ein ödes Laub.

Nachbar, leih mir deine Stallaterne,
denn der Weg ist gar so feucht und glatt,
und am Himmel brennen keine Sterne,
weil sie niemand angezündet hat.

Ich tappe auf zum Hügelkamm
und nieder in die Felsenklamm.
Ich weiß, es liegt dahinter weit
ein Garten ohne Herbst und Zeit,
zu tausend Farben angefacht,
doch hier ist Nacht und Abernacht.

Nachbar, leih mir deine Stallaterne,
denn der Weg ist gar so steil und kraus,
Mond und Morgenlicht sind noch so ferne
– ach, kein Nachbar ist zuhaus.

Ich spür des Mooses zottiges Vlies,
ich spür Gestrüpp, Geröll und Kies,
ich stolpre, gleite, schlage hin
und weiß, daß ich gefangen bin.
Ich will empor. Mich zieht die Last.
Ich bin von Erde eingefaßt.

Nachbar, leih mir Hacke oder Spaten,
Nachbar, ach, ich bitte dich so sehr.
Denk nicht nur an deinen Sonntagsbraten,
denke auch ein wenig zu mir her.

Wer tat mirs an? In Ungestalt
sind Händ und Füße eingekrallt.
Wer tat mirs an? Wie darf das sein?

Die Schollen poltern auf mich ein.
Das rieselt, rieselt immerzu,
die Schollen wachsen, Schuh um Schuh.

Nachbar, leih von deinen Kniegelenken
eins nur, schon das eine wär genug.
Ach, ich weiß, du hast nichts zu verschenken,
aber schenk mir einen Atemzug.

Die Zunge streift an kaltes Kraut,
mit Höllenbitternis betaut.
Und einmal hab ich was verschenkt ...
hab einen durstigen Hund getränkt ...
Ich schrei – und fühl, daß ichs nicht kann.
Graberde füllt den Gaumen an.

Nachbar, schreibe du an meine Leute,
und der Brief braucht keinen Trauerrand,
schreibe, daß W. B. hierorts und heute
sein Gehäus und seine Freiheit fand.

WERNER BERGENGRUEN

Rabengericht

Jetzt setzt das Weiße die Standarte.
Kalt halten die Raben Gericht.

Es läßt das Grau eine Scharte
Für das gelbe, das Geisterlicht.

Keck lüpft der Rabe den Talar,
Ihn brennt des Frostes Feuermal.

Vom Grate schreit der weiße Mahr –
Lawine rammt das taube Tal.

ERNST GÜNTHER BLEISCH

Die Stadt

Die Stadt ist oben auferbaut
voll Türmen ohne Hähne;
die Närrin hockt im Knabenkraut,
strickt von der Unglückssträhne
ein Hochzeitskleid, ein Sterbehemd
und alles schaut sie an so fremd,
als wär sie ungeboren.
Sie hat den Geist verloren,
er grast als schwarz und weißes Lamm
mit einem roten Hahnenkamm
hinauf zur hochgebauten Stadt,
weil er den harten Auftrag hat,
dort oben aufzuwachen.
Der Närrin leises Lachen
rollt abwärts durch das Knabenkraut
als Ein-Aug, das querüber schaut
teils nach dem Tod, teils nach dem Lamm,
dem schwarz und weißen Bräutigam
in feuerroter Haube.
Ihr Herz keucht innen rund herum
und biegt das Schwert des Elends krumm
und nennt es seine Taube.

CHRISTINE LAVANT

Kastanienröster Villanelle

Die Störche ließen uns den Most.
Wind bei der Mauer, o Brigant,
wirf die Kastanien auf den Rost!

Vergiß des Frühlings frühe Kost,
wenn Herzen stürzen, Sand auf Sand.
Die Störche ließen uns den Most.

Der Nordwind scheidet West von Ost.
Wir sind ein wild-vergessen Land.
Wirf die Kastanien auf den Rost!

Den Mund umschauert Regenfrost,
der einst der Sonne Trunk gekannt.
Die Störche ließen uns den Most.

Im grünen Eis der Fisch findt Rast,
es funkelt gläsern sein Gewand.
Wirf die Kastanien auf den Rost!

Es sprüht der roten Mäntel Rand,
das Reich um uns ist abgebrannt.
Die Störche ließen uns den Most,
so wirf Kastanien auf den Rost!

ALFRED MARNAU

Oh, when the Saints go marching in

Oh, when the Saints go marching in,
besuchen sie das ärmste Kind
mit Puppen und mit Broten,
und wenn sie damit fertig sind,
ziehn sie zum Bürgermeister hin,
entsprechend den Geboten,

und nehmen dem, der alles hat,
und geben es der Sünderin
voll Flüchen und voll Zoten.
Es findet eine Teilung statt,
denn Fisch und Tuch und Holz und Gin,
die Äpfel und die Schoten,

erhält der Bettelmann, der Dieb,
so daß der Mörder sich besinnt
und betet für die Toten,
und was am Ende übrig blieb,
wirft man dem Staube hin, dem Wind,
für Hufe und für Pfoten.

Oh, when the Saints go marching out,
dann ist die Stadt aus Hauch gebaut,
als seis im Paradiese,
doch gleich darauf ist alles stumm
und blind und taub, das Eigentum
der Wächter und Verliese.

WOLFGANG WEYRAUCH

Streit

Vier Vögel stritten.
Als kein Blatt mehr am Baum war
kam Venus, verkleidet als Bleistift,
und hat den Herbst,
einen bald darauf fälligen Wechsel,
mit schöner Schrift unterschrieben.

GÜNTER GRASS

Dem Ausgang zu

die nachtvögel tragen brennende laternen
im gebälk ihrer augen.
sie lenken zarte gespenster und fahren auf
zartadrigen wagen.
das schwarze schaukelpferd ist vor den berg
gespannt.
die toten tragen sägen und stämme zur
mole herbei.
aus den kröpfen der vögel stürzen die ern-
ten auf die tennen aus eisen.
die engel landen in körben aus luft.
die fische ergreifen den wanderstab und
rollen in sternen dem ausgang zu.

HANS ARP

Die Ballade von der schwarzen Wolke

Im Sand,
den die Maurer gelassen hatten,
brütete eine Henne.

Von links,
von dort kam auch immer die Eisenbahn,
zog auf eine schwarze Wolke.

Makellos war die Henne
und hatte fleißig vom Kalk gegessen,
den gleichfalls die Maurer gelassen hatten.

Die Wolke aber nährte sich selber.
ging von sich aus
und blieb dennoch geballt.

Ernst und behutsam
ist das Verhältnis
zwischen der Henne und ihren Eiern.

Als die schwarze Wolke
über der makellosen Henne stand,
verhielt sie, wie Wolken verhalten.

Doch es verhielt auch die Henne,
wie Hennen verhalten,
wenn über ihnen Wolken verhalten.

Dieses Verhältnis aber
bemerkte ich,
der ich hinter dem Schuppen der Maurer stand.

Nein, fuhr kein Blitz
aus der Wolke
und reichte der Henne die Hand.

Kein Habicht nicht,
der aus der Wolke
in makellosen Federn fiel.

Von links nach rechts,
wie es die Eisenbahn tat,
zog hin die Wolke, verkleinerte sich.

Und niemand wird jemals gewiß sein,
was jenen vier Eiern
unter der Henne, unter der Wolke,

im Sand der Maurer geschah.

GÜNTER GRASS

Möwe zu dritt

Diese drei Möwen:
die in der Luft
Brust an Brust
mit der Wassermöwe,
weiß und silber,
silber und weiß,
und die Schattenmöwe,
grau,
immer grau,
ihnen folgend.
Solange Sonne ist
und der Fluß
sanft dahinfließt
unter dem Wind.

HILDE DOMIN

Nachdem er Blatt um Feder um Blatt

Nachdem er Blatt um Feder um Blatt
Abgelöst hatte,
Entschloß er sich, das feste Erdreich
Für immer zu verlassen
Und sich fortan hoch, hoch oben
In der Schwebe zu verhalten.

HANS ARP

Verrufener Ort

Gerade eben noch
Rann das Wasser
Von den nassen Schindeln.
Eine Gruppe berittener Hirten
Bog um die Ecke
Und hielt die Mützen
Unter den Regen.

Nicht einmal eine Staubwolke
Blieb von ihnen zurück.

Immer noch riecht es hier
Nach kranken Tieren.
Das Echo von Pistolensalven
Schläft wie eine Erscheinung
An den Stallwänden.
Doch überschlägt sich keine Stimme mehr
Im Tode.
Der letzte Hahn

Wurde längst geschlachtet.
Sein kopfloser Schatten
Taumelt noch manchmal
Im Kreise.

KARL KROLOW

Das mit den Rosen

Das mit den Rosen ist sagenhaft –
Herbstlaub stirbt anders,
Schnee taut ergeben und schwach,
Vögel und Fische gehn lautlos dahin,
aber die Rosen im Hagel,
geschändet und über die Gärten verstreut,
ziehen den glasigen Töter
ans Herz –
und er schmilzt in der rosigen Glut!

KARL ALFRED WOLKEN

Landnahme

Ins Weideland kam ich,
als es schon Nacht war,
in den Wiesen die Narben witternd
und den Wind, eh er sich regte.
Die Liebe graste nicht mehr,
die Glocken waren verhallt
und die Büschel verhärmt.

Ein Horn stak im Land,
vom Leittier verrannt,
ins Dunkel gerammt.

Aus der Erde zog ich's,
zum Himmel hob ich's
mit ganzer Kraft.

Um dieses Land mit Klängen
ganz zu erfüllen,
stieß ich ins Horn,
willens im kommenden Wind
und unter den wehenden Halmen
jeder Herkunft zu leben!

INGEBORG BACHMANN

Einfache Lektion

nachts brannte die Windmühle aus
alle Ratten ritten auf dem Wind ins Feld

heut morgen am Mühlberg
der Müller
Ruß Tränen
pfeift durch die Finger

keine Ratte zurück

auch der Wind braucht nicht betteln zu gehn

HANS PETER KELLER

Ballade

Ich rufe eine schwarze Sonne, schrie
der Hahn im weißen Dampf auf schwarzem Mist.
Geschrei verscheuchte Schlummer aller Höfe.

Die Schwalben stoben in den kalten Regen
der Maulwurf tappte blind durch nasse Blumen
und Ochsen stampften brummend aus den Ställen.

Und Mägde rannten barfuß in die Wälder
und Knechte ritten fort auf alten Gäulen –
der Bauer weinte wild: ach Hahn, mein Hähnchen!

Da hinter siebenfachem Regen stieg
die Sonne schwarz und schnell, stand ohne Laut,
und krachte finster auf die Ebenen nieder.

CHRISTOPH MECKEL

Ballade vom begrabenen Zweifel

Es ödete uns an mit langen Regentagen
ein nasser Herbst, ein ausgelaugtes Land –
ein Herbst so klamm, so feucht, so nicht zu sagen:
mit Zeichen und mit Schimmel an der Wand.

Ein Winter kam mit ausgefransten Schuhen
und Leichenhalden unterm Laken Schnee –
o schöne angespiene Zeit, da aus geborstnen Truhen
nur Trödel fiel und ein Achjemineh!

Es schwamm ein wilder Mond in unsern Haaren,
der Scheitel war verwirbelt und verwirrt.
Die Rabenwolken stürzten aus dem Klaren
und haben sich in unsrer Nacht verirrt.

Wer weiß denn, was das Dunkel mit uns wollte?
Es lebte doch der nachbarliche Leib
indessen vor den finstern Fenstern grollte
mein Schatten, der mich fragte, was ich treib.

Den Wohlklang der mit Schnee gewürzten Stille
schrak nicht des Fragers schwarzer Schattenmund
ich ließ die Finger in der fremden Fülle,
er rieb sie an den Fensterscheiben wund.

Wir sind doch längst befreundet mit der Kälte,
Nachtwachen und der bittern Finsternis
mit ihrem Wolfsruf, der den Mond verbellte
und wild an unsern Knabenherzen riß –

O Stärke mit den Zeichen großer Schwäche:
bedrohte Flamme überm Aschengrund –
ein Hauch genügt und alle Haft zerbräche
der leidende und der verschlossene Mund.

Steigt erst die Frühe still aus Schnee und Asche,
ein Morgen, den die Zuversicht erhellt:
dann ziehen wir die Fäuste aus der Tasche –
der Zweifel ist am Flockenfall zerschellt.

Verscharren wir den Toten, Brüder, graben
ein Loch ihm als des Schwankens Ruhestatt,
einmal darf auch der Zweifel Ruhe haben,
wenn er mit Stolz und Glut gezweifelt hat.

Ein Grab im Flaum der schneeigen Kristalle,
das schaufelt ihm – die Kälte macht ihm nichts!
Die Fröste und die Feuer kennt er alle
und duldet still den Aufgang neuen Lichts!

KARL ALFRED WOLKEN

ANHANG

VERZEICHNIS DER AUTOREN

WALTER GROSS Geb. 12. Oktober 1924 in Winterthur

Aus: Botschaften noch im Staub. Heinrich Ellermann Verlag, Hamburg, 1957

CARL GUESMER Geb. 14. Mai 1929 in Kirch Grambow in Mecklenburg

Aus: Alltag in Zirrusschrift. Deutsche Verlags-Anstalt, Stuttgart, 1960

MICHAEL GUTTENBRUNNER Geb. 7. September 1919 in Althofen/Kärnten

Aus: Ungereimte Gedichte. Claassen Verlag, Hamburg, 1959

WOLFGANG HÄDECKE Geb. 22. April 1929 in Weißenfels/Saale

Aus: Leuchtspur im Schnee. Carl Hanser Verlag, München, 1963

PETER HÄRTLING Geb. 13. November 1933 in Chemnitz

Aus: Spielgeist — Spiegelgeist. Henry Goverts Verlag, Stuttgart, 1962

RUDOLF HAGELSTANGE Geb. 14. Januar 1912 in Nordhausen im Harz

Aus: Ballade vom verschütteten Leben. Insel-Verlag, Wiesbaden, 1954

RUDOLF HARTUNG Geb. 9. Dezember 1914 in München

Aus: Vor grünen Kulissen. Verlag Kiepenheuer & Witsch, Köln, 1959

VERZEICHNIS DER GEDICHTE

KÖNIGE UND HIRTEN

GEDENKEN

ORT ZU ORT

ATEMHOLEN

SEELEUTE

DEN HIMMEL HINUNTER

ABGESANG

IM FEUER

NACH DEM KRIEG

ROLLEN

TAGE UND JAHRE

HOCHVEREHRTES PUBLIKUM

SCHWARZE SONNE